LÉXICO FAMILIAR

NATALIA GINZBURG

Léxico familiar

Tradução e notas
Homero Freitas de Andrade

Prefácio
Alejandro Zambra

Posfácio
Ettore Finazzi-Agrò

7ª reimpressão

Copyright © 1963, 1986, 1999, 2010, 2014 Giulio Einaudi editore s.p.a., Turim
Primeira edição col. Supercoralli, 1963
Copyright do prefácio © by Alejandro Zambra
Copyright do posfácio © by Ettore Finazzi-Agrò

Grafia atualizada segundo o Acordo Ortográfico da Língua Portuguesa de 1990, que entrou em vigor no Brasil em 2009.

Título original
Lessico famigliare

Capa
Raul Loureiro

Foto de capa
Louise Bourgeois, Ode à La Bièvre (detalhe, p.21), 2007

Tradução do prefácio
Livia Deorsola

Revisão
Valquíria Della Pozza
Clara Diament

Dados Internacionais de Catalogação na Publicação (CIP)
(Câmara Brasileira do Livro, SP, Brasil)

Ginzburg, Natalia, 1916-1991
    Léxico familiar / Natalia Ginzburg ; tradução Homero Freitas de Andrade ; prefácio Alejandro Zambra ; posfácio Ettore Finazzi-Agrò ; [tradução do prefácio Livia Deorsola]. — 1ª ed. — São Paulo : Companhia das Letras, 2018.

    Título original: Lessico famigliare.
    ISBN: 978-85-359-2987-4

    1. Autores italianos — Ficção 2. Ginzburg, Natalia, 1916-1991 — Ficção 3. Guerra Mundial, 1939-1945 — Itália — Ficção I. Zambra, Alejandro. II. Finazzi-Agrò, Ettore. III. Título.

17-10659   CDD-853

Índice para catálogo sistemático:
1. Ficção autobiográfica : Literatura italiana 853

Todos os direitos desta edição reservados à
EDITORA SCHWARCZ S.A.
Rua Bandeira Paulista, 702, cj. 32
04532-002 — São Paulo — SP
Telefone: (11) 3707-3500
www.companhiadasletras.com.br
www.blogdacompanhia.com.br
facebook.com/companhiadasletras
instagram.com/companhiadasletras
twitter.com/cialetras

Sumário

Prefácio — *A alegria do relato*, Alejandro Zambra, 7

LÉXICO FAMILIAR, 13

Notas de apoio, 233

Posfácio — *O bordado da memória*, Ettore Finazzi-Agrò, 239

Prefácio
A alegria do relato

Alejandro Zambra

A descoberta de um grande escritor de alguma maneira modifica tudo o que sabíamos ou acreditávamos saber; seus livros estavam, desde sempre, à espera, e nos sentimos meio bobos por chegar tão tarde ao seu encontro. "De vez em quando sinto que um livro foi escrito especialmente para mim, e só para mim", diz W. H. Auden, que em seguida confessa a cômica resistência a compartilhar o achado: "Como um amante ciumento, quero evitar que o mundo conheça sua existência".

Isso aconteceu comigo há dez anos, quando descobri Natalia Ginzburg: eu hesitava entre escrever sobre ela logo ou ficar completamente calado... Não demorou para eu dar com a língua nos dentes, claro: escrevi uma crônica mínima, felizmente contaminada pela admiração, na qual declarava — exagerando — que minha única atividade naqueles últimos meses havia sido ler Natalia Ginzburg. Poderia dizer algo do tipo agora: a única coisa que tenho feito ao longo desses dez anos tem sido ler Natalia Ginzburg. É mentira, mas uma mentira bonita, adoraria que fosse verdade.

É uma mentira bonita e enorme, porque da autora, até aqui,

li apenas os cerca de dez livros que traduziram para o espanhol, especificamente para o espanhol da Espanha, uma língua que nós, leitores latino-americanos, compreendemos mais ou menos bem, mas cuja distância — cuja alienação — acaba nos sendo quase impossível desprezar. Ao desejo de ter lido antes Natalia Ginzburg soma-se o de saber italiano, não de aprender o idioma, mas de sabê-lo já, de repente. Nunca é fácil.

Léxico familiar é a história de uma família judia e antifascista que vive o horror, e apenas em parte sobrevive a ele. Mas Natalia Ginzburg não enfatiza o grande relato, o testemunho de uma época: ela escreve com precisão e fluidez, com genuíno amor às pessoas e às palavras. Por isso consegue retratar seu tempo: porque nos aproxima das frases rabugentas de seu pai, dos rompantes de sua mãe, da linguagem perdida de sua comunidade. Não idealiza; ao contrário, desdramatiza: respeita as quebras, as fissuras, busca os matizes na memória, e não na literatura, mas ao mesmo tempo entende a literatura como única forma de expressão.

"Escrevi apenas aquilo de que me lembrava", adverte a autora, como que se desculpando pelas possíveis lacunas de *Léxico familiar*, que pode ser lido tal qual um livro de memórias ou um romance escrito por alguém que preferiu não alterar os nomes nem os fatos reais: "Toda vez que, nas pegadas do meu velho costume de romancista, inventava, logo me sentia impelida a destruir tudo o que inventara", diz, mas também manifesta o desejo de que seu livro seja recebido como um romance, "sem exigir dele nada a mais, ou a menos, do que um romance pode oferecer".

Esta última frase é a chave, pois marca o amável mas secretamente categórico repúdio aos olhares paternalistas ou condescendentes. São inumeráveis os romances e filmes que procuram se legitimar mediante a fórmula "baseado em fatos reais", mas Natalia Ginzburg prefere, em nome do leitor, uma valorização que transcenda o meramente referencial. "A unidade do texto é constituída unicamente pelo *actus purus* de recordar", diz Walter Benjamin a respeito de *Em busca do tempo perdido*, e o mesmo poderia ser dito de uma obra singularmente proustiana como *Léxico familiar*. Também Natalia apela ao que Benjamin belamente chama de "legalidade da recordação", que sem dúvida é interna, intransferível, impossível de verificar: só aquele que recorda tem acesso a essa "legalidade".

Em uma passagem inicial de *Léxico familiar*, a autora contrapõe o jeito paterno de contar uma história ("daquelas narrativas rompidas por longas risadas, nós não entendíamos lá muita coisa") aos costumes narrativos de sua mãe: "Começava a contar à mesa dirigindo-se a um de nós: e quer quando contava sobre a família de meu pai, quer quando contava sobre a sua, enchia-se de alegria e era sempre como se contasse aquela história pela primeira vez, para ouvidos que dela não sabiam nada".

Se alguém — em geral o pai — reclamava que já havia escutado aquela história muitas vezes, a mãe se dirigia a outro interlocutor e continuava a contar em voz mais baixa. Gosto muito desse detalhe. Quando alguém repete uma história, supomos que não se lembra de já tê-la contado, mas muitas vezes repetimos histórias conscientemente, porque somos incapazes de reprimir o desejo, a alegria de voltar a contá-las.

Isso está no centro de *Léxico familiar*: a alegria do relato. É natural que a história oficial costume descartar o que parece limítrofe ou supérfluo. Natalia Ginzburg não teme parecer ingênua ou pouco séria, ou inclusive frívola; não teme, sobretudo, nem um pouquinho, o humor. "Em nossa casa, travavam-se acaloradas discussões sobre a beleza e a feiura das pessoas", diz a narradora, e em seguida o exemplifica desta forma banal, totalmente reconhecível e irresponsável: "Discutia-se ainda se uma tal de dona Gilda, governanta em Palermo numa família de amigos nossos, era bonita ou não. Meus irmãos afirmavam que era muitíssimo feia, uma espécie de focinho de cachorro; mas minha mãe dizia que era de uma beleza extraordinária".

A enorme originalidade desta obra reside em sua tremenda simplicidade. Qualquer um, a partir do exercício de recordar as frases recorrentes em sua própria família, poderia escrever um livro como este. Imitá-lo (ou "aplicá-lo" à própria vida) é, de fato, um dispositivo de escrita perfeito: juntar frases, contextualizá-las minimamente, e depois ir relacionando essas histórias. Praticamente qualquer um que siga esse procedimento com certa disciplina terminaria escrevendo um livro, claro que muito diferente e também, em certo sentido, parecidíssimo a este *Léxico familiar*.

A originalidade de Natalia Ginzburg está, também, em sua recusa em buscar a originalidade em outro lugar que não na própria natureza da experiência. Ela sabia, como ninguém, que era impossível não ser original. Que qualquer família, que qualquer pessoa quando vista de perto revela sua condição única. Ou não a revela, mas não a nega: mostra sua opacidade, seu recanto impossível, a evidência de seu segredo. "Uma dessas frases ou palavras faria com que nós, irmãos, reconhecêssemos uns aos outros na escuridão de uma gruta, entre milhões de pessoas", diz a narradora na hora de explicar seu projeto. Ela o faz, é evidente, com suma claridade, e com extrema beleza: "Essas frases são o nosso latim, o vocabulário de nossos tempos idos é como os hieróglifos dos egípcios ou dos assírio-babilônicos, o testemunho de um núcleo vital que deixou de existir, mas que sobrevive em seus textos, salvos da fúria das águas, da corrupção do tempo".

Natalia Ginzburg não quis escrever o romance que a sangrenta história do século XX lhe tinha predestinado: uma sobrevivente, uma vítima como ela parecia condenada à denúncia literal do horror, ao testemunho detalhado, enfático e meramente documental. Cabia-lhe falar a partir do ressentimento e da dor, que obviamente existem, persistem neste romance, mas sem que cheguem a bloquear o sentido da narração, a direção da memória.

Daí que, durante a maior parte do relato, a narradora esteja ausente: ela é a que recorda, a que observa, e, claro, a que conta a história, mas sua dose de protagonismo é antes escassa ou tácita, sobretudo se se compara este livro com a norma autobiográfica. "Ainda não tinha decidido se, na minha vida, iria estudar os coleópteros, a química, a botânica; ou se, ao contrário, iria pintar quadros, ou escrever romances", diz de repente, a propósito dos dois mundos possíveis que enfrenta, e essa irrupção quase nos surpreende, tão discreto havia sido seu aparecimento.

O sonho de Natalia quando menina era ganhar o prêmio Fracchia, pois tinha ouvido dizer que era um prêmio para escritores. Mas não encontrou seu estilo na virtuosa imitação dos poemas da moda, e sim, como relata em um dos melhores ensaios de *As pequenas virtudes*, na conversa à mesa familiar: suas frases deviam ser sempre certeiras e breves, porque seus irmãos mais velhos logo perdiam a paciência e a mandavam ficar quieta. Natalia escreveu para assim participar desses diálogos, não para encerrá-los. *Léxico familiar* é de fato — perdoem a redundância — uma *autobiografia familiar*: um autorretrato que fica em um canto do quadro, cujo primeiro plano mostra outros personagens, a pequena multidão dos pais e irmãos e amigos e vizinhos. O eu que aparece nunca está sozinho, e sempre, mais que descrever a si mesmo, quer narrar os demais.

Cada vez que fala da dor, a autora parece nos dizer que os outros sofreram muito mais do que ela, o que não significa, obviamente, adoçar os feitos nem negar o próprio sofrimento; com lucidez e uma valentia a toda prova, Natalia Ginzburg nos mostra seus personagens quando não eram heróis nem vítimas;

quando eram falíveis, quando era possível amá-los menos. E por isso os amamos mais.

Há livros que provocam em seus leitores o desejo de escrever, e outros que antes bloqueiam esse desejo. *Léxico familiar* pertence, sem dúvida, ao primeiro grupo. É impossível lê-lo sem imaginar este outro livro próprio que ainda não existe, mas que deveríamos, por pura gratidão, escrever.

LÉXICO FAMILIAR

Advertência

Neste livro, lugares, fatos e pessoas são reais. Não inventei nada: e toda vez que, nas pegadas do meu velho costume de romancista, inventava, logo me sentia impelida a destruir tudo o que inventara.

Os nomes também são reais. Ao sentir, escrevendo este livro, uma intolerância tão profunda para com qualquer invenção, não pude mudar os nomes verdadeiros, que me pareceram indissolúveis das pessoas verdadeiras. Pode ser que desagrade a alguém encontrar-se deste modo, com seu nome e sobrenome, num livro. Mas quanto a isso não tenho nada a responder.

Escrevi apenas aquilo de que me lembrava. Por isso, se este livro for lido como uma crônica, será possível objetar que apresenta infinitas lacunas. Embora extraído da realidade, acho que deva ser lido como se fosse um romance: ou seja, sem exigir dele nada a mais, ou a menos, do que um romance pode oferecer.

E nele há também muitas coisas que eu lembrava e que deixei de escrever; e dentre essas, muitas que diziam respeito diretamente à minha pessoa.

Não sentia muita vontade de falar de mim. De fato, esta não é a minha história, mas antes, mesmo com vazios e lacunas, a história de minha família. Devo acrescentar que, no decorrer de minha infância e adolescência, propunha-me sempre a escrever um livro que contasse sobre as pessoas que viviam, então, ao meu redor. Este, em parte, é aquele livro: mas só em parte, porque a memória é lábil, e porque os livros extraídos da realidade frequentemente não passam de tênues vislumbres e estilhaços de tudo o que vimos e ouvimos.

Na casa de meu pai, quando era menina, à mesa, se eu ou meus irmãos virávamos o copo na toalha, ou deixávamos cair uma faca, a voz dele trovejava: — Não sejam malcriados!

Se molhávamos o pão no molho, gritava: — Não lambam os pratos! Não façam porcarias! Não façam melecas!

Para meu pai, porcarias e melecas eram também os quadros modernos, que não podia suportar.

Dizia: — Vocês não sabem se comportar à mesa! Não são pessoas que se possam levar aos lugares!

E dizia: — Vocês, que fazem tanta porcaria, se fossem a uma *table d'hôte* na Inglaterra, seriam imediatamente postos no olho da rua.

Tinha pela Inglaterra a mais elevada estima. Achava que era o maior exemplo de civilização no mundo.

Às refeições, costumava tecer comentários sobre as pessoas que vira durante o dia. Era muito severo em seus julgamentos e xingava todo mundo de imbecil. Para ele, um imbecil era "um parvo". Pareceu-me um grande parvo dizia, comentando sobre alguém que acabara de conhecer. Além dos "parvos" havia "os negros". "Um negro", para meu pai, era quem tinha maneiras deselegantes, estabanadas e tímidas, quem se vestia de modo impróprio, quem não sabia ir à montanha, quem não sabia línguas estrangeiras.

Todo ato ou gesto nosso que considerava impróprio era tachado por ele de "uma negrice". — Não sejam negros! Não façam negrices! — vivia gritando para a gente. A gama das negrices era grande. Chamava "uma negrice" usar, nos passeios à montanha, sapatos de cidade; puxar conversa, no trem ou na rua, com um companheiro de viagem ou com um transeunte; conversar pela janela com os vizinhos de casa; tirar os sapatos na sala de visitas e esquentar os pés na boca do aquecedor; queixar-se, nos passeios à montanha, de sede, cansaço ou machucados nos pés; levar, aos passeios, alimentos cozidos e engordurados, e guardanapos para limpar os dedos.

Nas caminhadas pela montanha era permitido levar apenas uma determinada espécie de comida, isto é: *fontina;** geleia; peras; ovos cozidos; e era permitido beber apenas chá, que ele mesmo preparava, numa espiriteira. Baixava a longa testa franzida, de cabelos ruivos à escovinha, sobre a espiriteira; e protegia a chama do vento com as abas de seu casaco, um casaco de lã cor de ferrugem, sem pelo e chamuscado nos bolsos, sempre o mesmo nas temporadas na montanha.

Não era permitido, nas caminhadas, nem conhaque, nem torrões de açúcar: sendo isso, dizia ele, "coisa de negro"; e não era permitido parar para fazer um lanche nos chalés, tratando-se

---

* Queijo fresco e gordo, cozido, fabricado com leite de vaca; típico de Val d'Aosta e de Val d'Ossola, no Piemonte. Para informações referentes a formas dialetais, personalidades e fatos históricos, ver Notas de apoio, pp. 233-7.

de uma negrice. Também era uma negrice proteger a cabeça do sol com um lenço ou com um chapeuzinho de palha, ou defender-se da chuva com capuzes impermeáveis, ou amarrar cachecóis no pescoço: proteções caras à minha mãe, que ela, de manhã, quando saíamos para caminhar, tentava insinuar na mochila de montanhismo, para nós e para si; e que meu pai, ao encontrá-las em suas mãos, jogava fora encolerizado.

Nas caminhadas, nós com nossos sapatos de pregos, grossos, duros e pesados feito chumbo, meias compridas de lã e gorro de esquiar, óculos de neve na fronte, com o sol batendo a pino sobre nossa cabeça suada, olhávamos com inveja "os negros" que subiam ligeiros com tênis, ou sentavam-se para comer nata nas mesinhas dos chalés.

Minha mãe chamava as caminhadas pela montanha de "divertimento que o diabo dá a seus filhos", e ela sempre tentava ficar em casa, principalmente quando se tratava de comer fora: porque, depois de comer, gostava de ler o jornal e dormir no sofá de casa.

Passávamos sempre o verão na montanha. Alugávamos uma casa, por três meses, de julho a setembro. De hábito, eram casas afastadas do povoado; meu pai e meus irmãos iam todos os dias, com a mochila de montanhismo às costas, fazer compras no lugarejo. Não havia nenhuma espécie de divertimento ou distração. Passávamos a noite em casa, ao redor da mesa, nós, os irmãos, e minha mãe. Quanto a meu pai, ficava lendo na parte oposta da casa; e, de vez em quando, aparecia na sala onde estávamos reunidos, conversando e brincando. Aparecia desconfiado, carrancudo; e se queixava com minha mãe de nossa empregada Natalina, que lhe desarranjara certos livros; "a sua querida Natalina", dizia. "Uma desmiolada", dizia, sem se importar com o fato de que, na cozinha, Natalina pudesse ouvi-lo. Por outro lado, Natalina já estava acostumada com a frase "essa desmiolada da Natalina", e não se ofendia absolutamente com isso.

Às vezes, de noite, na montanha, meu pai preparava-se para caminhadas ou escaladas. Ajoelhado no chão, engraxava os sapatos dele e de meus irmãos com graxa de baleia; achava que só ele sabia engraxar os sapatos com aquela graxa. Depois, ouvia-se pela casa inteira um grande barulho de ferragens: era ele procurando os ganchos, os pinos, as picaretas. — Onde vocês enfiaram minha picareta? — trovejava. — Lidia! Lidia! Onde enfiaram minha picareta?

Partia para as escaladas às quatro da madrugada, às vezes sozinho, às vezes com guias de quem era amigo, às vezes com meus irmãos; e no dia seguinte às escaladas, devido ao cansaço, ficava intratável; com o rosto vermelho e inchado por causa da reverberação do sol nas geleiras, os lábios rachados e sangrando, o nariz besuntado com uma pomada amarela que parecia manteiga, as sobrancelhas franzidas na testa sulcada e tempestuosa, meu pai punha-se a ler o jornal, sem abrir a boca: e bastava um nada para fazê-lo explodir numa cólera assustadora. Na volta das escaladas com meus irmãos, meu pai dizia que eles não passavam de "uns estabanados" e de "uns negros", e que nenhum de seus filhos herdara a sua paixão pela montanha; exceto Gino, o mais velho, que era um grande alpinista, e que junto com um amigo atingia lugares dificílimos; de Gino e daquele amigo meu pai falava com uma mistura de orgulho e de inveja, e dizia que ele já não tinha mais tanto fôlego, porque estava envelhecendo.

Meu irmão Gino era, de resto, seu predileto, e satisfazia-o em tudo; interessava-se por história natural, colecionava insetos, cristais e outros minerais, e era muito estudioso. Mais tarde Gino matriculou-se em engenharia; quando voltava para casa depois de um exame e contava que tirara um dez, meu pai perguntava: — Como é que você foi tirar dez? Por que não tirou dez com louvor?

E se havia tirado dez com louvor, meu pai dizia: — Ah, mas era um exame fácil. — Na montanha, porém, quando não ia fazer escaladas ou passeios que duravam até o anoitecer, meu pai ia, todos os dias, "caminhar"; partia de manhã cedinho vestido do mesmo modo como quando saía para escalar, mas sem corda, ganchos ou picareta: ia frequentemente sozinho, porque nós e minha mãe éramos, no seu dizer, "uns poltrões", "uns estabanados" e "uns negros"; ia com as mãos às costas, com o andar pesado de seus sapatos de pregos, com o cachimbo entre os dentes. Às vezes, obrigava minha mãe a acompanhá-lo: — Lidia! Lidia! — trovejava de manhã —, vamos caminhar! Senão você fica preguiçosa, se nunca sai da planície! — Minha mãe, então, dócil, acompanhava-o; alguns passos atrás, com sua bengalinha, a malha amarrada na cintura, e sacudindo os cabelos grisalhos e crespos, que usava bem curtos, embora meu pai implicasse com a moda dos cabelos curtos, tanto que, no dia em que ela os cortara, ele fizera um escarcéu de fazer vir a casa abaixo. — Você cortou os cabelos de novo! Que burra que você é! — dizia meu pai, toda vez que ela voltava do cabeleireiro para casa. "Burro", na linguagem de meu pai, significava não um ignorante, mas alguém que cometia indelicadezas ou grosserias; nós, seus filhos, éramos "uns burros" quando falávamos pouco ou respondíamos mal.

— Você se deixa influenciar pela Frances! — dizia meu pai à minha mãe, ao ver que ela cortara novamente os cabelos; de fato, essa Frances, amiga de minha mãe, era muito amada e estimada por meu pai, dentre outras coisas por ser mulher de um seu amigo de infância e colega de estudos; mas tinha aos olhos de meu pai o defeito único de ter iniciado minha mãe na moda dos cabelos curtos; a Frances ia sempre a Paris visitar uns parentes, e num inverno voltara de lá dizendo: — Em Paris estão usando os cabelos curtos. Em Paris a moda é esportiva. — Em Paris a moda é esportiva —

tinham repetido minha irmã e minha mãe durante todo o inverno, imitando um pouco o jeito da Frances, que arrastava os erres; tinham encurtado todos os vestidos, e minha mãe cortara os cabelos; minha irmã não, porque tinha cabelos compridos até a cintura, loiros e belíssimos; e porque tinha muito medo de meu pai.

Habitualmente, nessas temporadas na montanha, minha avó, a mãe de meu pai, vinha conosco. Não ficava com a gente, mas num hotel no lugarejo.

Íamos visitá-la, e lá estava ela sentada no átrio do hotel, embaixo de um guarda-sol; era pequena, com pés miúdos metidos em botinhas pretas de botões miúdos; tinha orgulho daqueles pés pequenos, que despontavam sob a saia, e tinha orgulho de sua cabeça de cabelos alvos, crespos, penteados num alto coque cheio. Todos os dias, meu pai a levava "para caminhar um pouco". Andavam pelos caminhos principais, porque ela era velha e não podia aventurar-se pelos atalhos, principalmente com aquelas botinhas de salto; andavam, ele na frente, com seus passos largos, mãos às costas e cachimbo na boca, ela atrás, com sua roupa farfalhante, com os passinhos de seus saltinhos; ela nunca queria andar no mesmo caminho do dia anterior, queria sempre novos caminhos: — Este é o caminho de ontem — queixava-se, e meu pai, sem se voltar, dizia-lhe distraído: — Não, é outro —; mas ela continuava repetindo: — É o caminho de ontem. É o caminho de ontem. — Estou com uma tosse que me sufoca — dizia logo depois a meu pai, que seguia sempre adiante e não se voltava —; Estou com uma tosse que me sufoca — repetia, levando as mãos à garganta: costumava repetir sempre as mesmas coisas duas ou três vezes. Dizia: — Aquela infame da Fantecchi que me fez fazer o vestido marrom! Queria fazer um azul! Queria fazer um azul! — e batia a sombrinha no calçamento, com raiva. Meu pai dizia-lhe que admirasse o pôr do sol nas montanhas; mas ela continuava batendo, furiosamente, a ponta da sombrinha no chão, presa de um acesso de raiva contra a Fantecchi, sua costureira. Ela, de resto, vinha à montanha só para ficar conosco, visto que durante o ano morava em Florença, e nós, em Turim, de modo que nos via apenas no verão; mas detestava a montanha, e seu sonho seria passar as férias em Fiuggi ou Salsomaggiore, lugares onde tinha passado os verões de sua juventude.

Minha avó, no passado, tinha sido muito rica, e empobrecera com a Guerra Mundial; pois como não acreditava que a Itália vencesse, e tinha uma confiança cega em Francisco José, quisera conservar certos títulos que possuía na Áustria, e assim perdera muito dinheiro; meu pai, irredentista, tentara inutilmente convencê-la a vender os títulos austríacos. Minha avó costumava dizer "a minha desgraça" quando aludia a essa perda de dinheiro; e desesperava-se com isso, de manhã, zanzando pelo quarto e torcendo os dedos. Mas também não era tão pobre assim. Tinha, em Florença, uma bela casa, com móveis indianos e chineses e tapetes turcos; porque um avô dela, o avô Parente, tinha sido um colecionador de objetos preciosos. Nas paredes havia os retratos de vários antepassados, o avô Parente, a Vandea, que era uma tia chamada assim por ser reacionária e manter um salão de retrógrados e reacionários; e muitas tias e primas que se chamavam todas Margherita ou Regina: nomes usados nas famílias judias de outros tempos. Porém, entre os retratos não havia o do pai de minha avó, e dele não se devia falar: porque, tendo enviuvado e brigado um dia com suas duas filhas, já adultas, declarara que, para fazer-lhes despeito, se casaria com a primeira mulher que encontrasse na rua, e assim fizera; ou, pelo menos, contava-se na família que assim fizera; se fora justamente a primeira mulher que encontrara ao portão, saindo de casa, não sei. De qualquer modo, tivera com essa nova mulher mais uma filha, que minha avó jamais quis conhecer, e a quem chamava, com desgosto, "a filha do papai". Às vezes, nas férias, acontecia-nos encontrar essa "filha do papai", senhora madura e distinta já com seus cinquenta anos, e meu pai, então, dizia à minha mãe: — Você viu? Você viu? Era a "filha do papai"!

— Vocês avacalham com tudo. Nesta casa avacalha-se com tudo — dizia sempre minha avó, querendo dizer que, para nós, não existia nada de sagrado; frase que se tornou famosa na família, e que costumávamos repetir toda vez que nos dava vontade de rir dos mortos ou dos enterros. Minha avó tinha um nojo profundo dos animais, e dava-lhe nos nervos quando nos via brincar com um gato, dizendo que iríamos pegar doenças e contagiá-la; "Esse bicho imundo", dizia, batendo os pés e a ponta da sombrinha no chão. Tinha nojo de tudo, e muito medo das doenças; era, porém, extremamente sadia, tanto que morreu com mais de oitenta anos sem nunca ter precisado de médico, nem de dentista. Temia sempre que um de nós, para arreliar, a batizasse: porque certa vez um de meus irmãos, brincando, fizera o gesto de batizá-la. Recitava todos os dias suas preces em hebraico, sem entender patavina, porque não sabia hebraico. Sentia, por aqueles que não eram judeus como ela, uma aversão semelhante à que tinha pelos gatos. Só minha mãe escapava dessa aversão: a única pessoa não judia à qual se afeiçoara em toda a sua vida. Minha mãe também gostava dela; e dizia que, em seu egoísmo, era inocente e ingênua como uma criança de colo.

Minha avó, quando jovem, pelo que dizia, era muito bonita, a segunda moça mais bonita de Pisa; a primeira era uma tal Virginia Del Vecchio, sua amiga. Apareceu em Pisa um certo senhor Segrè, e quis conhecer a moça mais bonita da cidade, para pedi-la em casamento. Virginia não aceitou casar-se com ele. Então, apresentaram-lhe minha avó. Mas ela também o rejeitou, dizendo que não ficava com "as sobras de Virginia".

Casou-se depois com meu avô, o avô Michele: homem que devia ser terno e manso como ele só. Ficou viúva ainda moça; e uma vez lhe perguntamos por que não se casara de novo. Respondeu, com uma risada estridente e com uma brutalidade que nunca esperaríamos de uma velha chorosa e lamurienta como ela:

— Aqui, ó! Para acabar com o pouco que tenho!

Meus irmãos e minha mãe às vezes queixavam-se de tédio durante as temporadas na montanha, naquelas casas isoladas, onde não tinham distração nem companhia. Eu, sendo a caçula, divertia-me com pouco: e, naquele tempo, não sentia ainda o tédio das temporadas.

— Vocês — dizia meu pai —, vocês se entediam porque não têm vida interior.

Um ano estávamos particularmente sem dinheiro, e parecia que íamos passar o verão na cidade. Arranjou-se depois, no último instante, uma casa que custava pouco, no subdistrito de um lugarejo chamado Saint-Jacques-d'Ajas; uma casa sem luz elétrica, com lampiões a querosene. Devia ser muito pequena e desconfortável, pois minha mãe, durante todo o verão, não parava de dizer: — Porcaria de casa! Diacho de Saint-Jacques-d'Ajas! — Nossa salvação foram uns livros, oito ou dez volumes encadernados em couro: fascículos encadernados de um hebdomadário qualquer, com charadas, enigmas e romances aterrorizantes. Um amigo de meu irmão Alberto, um tal de Frinco, os emprestara. Alimentamo-nos com os livros de Frinco durante todo o verão. Depois minha mãe fez amizade com uma senhora que morava na casa vizinha. Puxaram conversa enquanto meu pai estava fora. Ele dizia que falar com os vizinhos de casa era coisa "de negros". Porém, como depois se descobriu que essa senhora, a senhora

Ghiran, morava em Turim no mesmo prédio da Frances, e a conhecia de vista, foi possível apresentá-la a meu pai, que se tornou muito gentil com ela. De fato, meu pai era sempre desconfiado e receoso no que diz respeito a estranhos, temendo que se tratasse de "gente equívoca"; mas, ao descobrir com eles um vago conhecimento em comum, sentia-se logo tranquilizado.

Minha mãe não parava de falar da senhora Ghiran, e, à mesa, comíamos as iguarias que a senhora Ghiran tinha nos ensinado. — Surge um novo astro — dizia meu pai, toda vez que se nomeava a senhora Ghiran. "Surge um novo astro" ou apenas "novo astro" era sempre sua saudação irônica a cada novo entusiasmo que tínhamos por alguém. — Não sei o que teria sido de nós sem os livros de Frinco, e sem a senhora Ghiran — dizia minha mãe no fim daquele verão. Nosso retorno à cidade, nesse ano, foi marcado por este episódio. Depois de umas duas horas de caminhonete, chegando à estação ferroviária, subimos no trem e ocupamos os lugares. De repente, percebemos que toda a nossa bagagem ficara no chão. O condutor, erguendo a bandeira, gritou: — Vai partir! — Vai partir uma ova! — gritou, então, meu pai, com um berro que ecoou pelo vagão inteiro; e o trem não se moveu até que fosse carregado nosso último baú.

Na cidade tivemos que nos separar, pesarosos, dos livros de Frinco, porque Frinco os queria de volta. E quanto à senhora Ghiran, nunca mais a vimos. — É preciso convidar a senhora Ghiran! É uma indelicadeza! — dizia meu pai às vezes. Mas minha mãe era inconstante como ela só em suas simpatias, e instável em suas relações: ou via as pessoas todos os dias, ou não queria vê-las nunca. Era incapaz de cultivar conhecidos por simples espírito de urbanidade. Tinha sempre um medo louco de "*se encher*", e tinha medo de que as pessoas viessem visitá-la quando ela queria ir passear.

Minha mãe via suas amigas: sempre as mesmas. Afora a

Frances, e algumas outras que eram mulheres de amigos de meu pai, minha mãe escolhia amigas jovens, um bocado mais jovens do que ela: jovens senhoras recém-casadas, e pobres: a elas podia dar conselhos, indicar costureiras. Causavam-lhe horror "as velhas", como ela dizia, aludindo a pessoas que tinham pouco mais idade que ela. Detestava receber. Se uma de suas velhas conhecidas mandava dizer que viria fazer-lhe uma visita, entrava em pânico. — Então hoje não poderei ir passear! — dizia desesperada. As amigas jovens, ao contrário, podia arrastá-las consigo ao passeio, ou ao cinema; eram manipuláveis, disponíveis e prontas a manter com ela um relacionamento sem cerimônias; e, se tinham crianças pequenas, melhor, porque ela adorava crianças. De vez em quando, depois do almoço, acontecia de essas amigas virem visitá-la, todas juntas. As amigas de minha mãe, na linguagem de meu pai, eram chamadas de "as *babas*".* Quando se aproximava a hora do jantar, de seu escritório, meu pai berrava a plenos pulmões: — Lidia! As *babas* já foram embora? — Via-se então a última *baba*, apavorada, esgueirar-se pelo corredor e escafeder-se porta afora; as jovens amigas de minha mãe morriam todas de medo de meu pai. No jantar, meu pai dizia à minha mãe: — Você não se cansa de babar? Não se cansa de fofocar?

Às vezes, à noite, os amigos de meu pai vinham à nossa casa: professores universitários, biólogos e cientistas como ele. Meu pai, durante o jantar, quando se prenunciavam aquelas noitadas, perguntava à minha mãe: — Preparou um pouco de tratamento? — O tratamento era chá e biscoitos: bebidas, em nossa casa, não entravam nunca. Às vezes minha mãe não tinha preparado nenhum tratamento, e então meu pai ficava furioso:

---

* Possível alusão ao termo eslavo *baba*, cujo significado remete a mulher velha e rude, geralmente de origem camponesa.

— Como não tem tratamento? Não se pode receber as pessoas sem oferecer tratamento! Não se podem fazer negrices!

Entre os amigos mais íntimos de meus pais havia os Lopez, isto é, a Frances e o marido dela, e os Terni. O marido da Frances chamava-se Amedeo, mas era apelidado de Lopez, desde o tempo em que, junto com meu pai, era estudante. O apelido que meu pai tinha era Tom, que queria dizer tomate, por causa de seus cabelos ruivos; mas meu pai, se o chamavam de Tom, ficava bravíssimo, e somente à minha mãe permitia chamá-lo assim. Contudo, os Lopez, conversando entre si sobre nossa família, diziam "os Tom" do mesmo modo como nos referíamos a eles, "os Lopez". A razão desse apelido que o Amedeo tinha, nunca ninguém soube me explicar, e perdera-se, acho, na noite dos tempos. Amedeo era gordo, com cachos de cabelos finos e brancos como a seda; arrastava os erres, como sua mulher e seus três filhos homens, nossos amigos. Os Lopez eram muito mais elegantes, mais refinados e mais modernos do que nós: tinham uma casa mais bonita, com elevador e telefone, que naquele tempo ainda ninguém tinha. A Frances, que sempre ia a Paris, trazia de lá as últimas novidades em termos de roupas e de modas; e um ano trouxe um jogo chinês, numa caixa com dragões pintados, que se chamava "majongue"; todos eles haviam aprendido a jogar o tal majongue, e Lucio, que era o filho caçula dos Lopez e meu coetâneo, vivia se gabando para mim desse majongue, mas não quis nunca me ensinar a jogá-lo: dizia que era complicado demais, e que sua mãe não deixava mexer na caixa: e eu morria de inveja, vendo, na casa deles, a preciosa caixa, proibida e cheia de mistério.

Quando à noite meus pais visitavam os Lopez, na volta, meu pai elogiava a casa deles, os móveis e o chá, que era servido num carrinho, em belas xícaras de porcelana; e dizia que a Frances "tinha mais savoir-faire", ou seja, sabia encontrar belos móveis e belas xícaras, sabia como decorar uma casa e como servir o chá.

Se os Lopez eram mais ricos ou mais pobres do que nós, não se sabia ao certo: minha mãe dizia que eram muito mais ricos; mas meu pai dizia que não, que eram como nós, sem muito dinheiro, só que a Frances "tinha mais savoir-faire", e não era "um emplastro como vocês". Meu pai, de resto, sentia-se extremamente pobre, especialmente de manhã cedo, quando acordava; acordava também minha mãe, e dizia-lhe: "Não sei como vamos fazer para continuar", "você viu que os Imobiliários despencaram". Os Imobiliários despencavam sempre, nunca subiam; "diacho de Imobiliários", vivia dizendo minha mãe, e queixava-se de que meu pai não tinha nenhum tino para os negócios, e logo que surgia um título ruim, ele logo o comprava; ela sempre pedia que ele recorresse a um corretor para se aconselhar, mas ele, então, enfurecia-se, porque queria, nisso como em todas as outras coisas, fazer o que lhe dava na telha.

Quanto aos Terni, eram muito ricos. Mary, a mulher de Terni, contudo, tinha hábitos simples, frequentava pouca gente e passava os dias contemplando os dois filhos, junto com a babá Assunta, que se vestia toda de branco; e faziam, tanto Mary como a babá, que a imitava, um sussurro enlevado: — Sssst! ssst! — O Terni também fazia sempre "ssst, ssst", ao contemplar os filhos; de resto, fazia "ssst, ssst" para tudo, para nossa empregada Natalina, que de bonita não tinha nada, e para certas roupas velhas que via minha irmã e minha mãe vestirem. De toda mulher que via, dizia que tinha "um rosto interessante" e que lembrava algum quadro famoso; ficava alguns instantes em contemplação, tirava o monóculo e limpava-o num lenço muito branco e fino. Terni era um biólogo, e meu pai tinha por ele, no que diz respeito aos estudos, uma grande estima; porém, costumava dizer "aquele parvo do Terni", porque achava que, na vida, era um *poseur*. — Terni faz pose — dizia dele toda vez que o encontrava. — Acho que faz pose — recomeçava logo em seguida. Quando Terni vinha nos visitar, geralmente detinha-se no jardim conosco, falando de romances; era culto, tinha lido todos os romances modernos, e foi o primeiro a trazer à nossa casa *La Recherche du temps perdu*. Aliás, pensando bem, acho que tentava se parecer com Swann, com aquele monóculo, e com a mania de descobrir em cada um de nós parentescos com quadros famosos. Meu pai, do escritório, chamava-o em voz alta, para que viesse conversar com ele sobre as células dos tecidos: — Terni! — gritava —, venha cá! Pare de bancar o parvo! — Não banque o palhaço! — gritava-lhe, quando Terni, com seus sussurros enlevados, enfiava o nariz nas cortinas gastas e empoeiradas de nossa sala de jantar, perguntando se eram novas.

As coisas que meu pai apreciava e estimava eram: o socialismo; a Inglaterra; os romances de Zola; a fundação Rockefeller; a montanha; e os guias do Val d'Aosta. As coisas de que minha mãe gostava eram: o socialismo; os poemas de Paul Verlaine; a música e, em particular, o *Lohengrin*, que costumava cantar para nós à noite, depois do jantar.

Minha mãe era milanesa, mas de origem triestina ela também; e de resto esposara, com meu pai, também muitas expressões triestinas. O milanês imiscuía-se em sua fala quando contava recordações da infância.

Um dia, quando era pequena, caminhando pela rua, em Milão, vira um senhor empertigado, parado diante de uma vitrine de cabeleireiro, que fitava uma cabeça de boneca e dizia com seus botões:

— Linda, linda, linda. De pescoço longo demais.

Muitas de suas lembranças eram assim: simples frases que ouvira. Um dia, com suas colegas de colégio e com as professoras, saíra a passeio. De repente, uma das meninas afastara-se da fila, correndo para abraçar um cachorro que passava: ela o abraçava e dizia:

— El'é, el'é, el'é a irmã da minha cadela!

Passara muitos anos no colégio. Tinha se divertido um bocado, no tal colégio.

Representara, cantara e dançara nas festas escolares; tinha representado numa comédia, fantasiada de macaca; e cantado numa opereta, que se chamava A *chinela perdida na neve*.

Escrevera e musicara uma ópera. Sua ópera começava assim:

> Eu sou dom Carlos Tadri,
> Sou estudante em Madri!
> Quando andava uma tardinha
> Pela Via Berzuellina,
> Logo vi numa janela,
> A jovem mestra: era ela!

E escrevera uma poesia que dizia:

> Salve, ó ignorância,
> Pensando em ti passa a dor de pança
> Saúde, reina no que é teu
> Deixemos o estudo aos macabeus!
> Bebamos, dancemos e não pensemos,
> Façamos festa!
> Agora, Musa, inspira-me um verso,
> Dita-me o que me vai no coração,
> Diz-me que o filósofo é perverso,
> O amor não se encontra no sabichão.

E também parodiara o Metastásio, assim:

Se a cada um o imo afã
Se lesse na testa escrito
Todos os que a pé se vão
Andariam de landau.

Permaneceu no colégio até os dezesseis anos. Aos domingos, ia visitar um tio materno, que se chamava Barbison. Serviam peru no almoço; comiam, depois o Barbison apontava as sobras do peru à mulher e dizia-lhe: — Isso a gente comerá amanhã cedo.

A mulher de Barbison, a tia Celestina, era chamada a Barita. Alguém lhe explicara que existe barita por toda parte: por isso, ela apontava o pão sobre a mesa, por exemplo, e dizia: — Tá vendo esse pão aí? É só barita.

O Barbison era um homem rude, de nariz vermelho. "Com o nariz igual ao do Barbison", costumava dizer minha mãe, quando via algum nariz vermelho. O Barbison, depois desses almoços com peru, dizia à minha mãe:

— Lidia, eu e você, que sabemos química, do que é que o ácido sulfídrico tem cheiro? Ele tem cheiro de peido. O ácido sulfídrico cheira a peido.

O nome verdadeiro do Barbison era Perego. Alguns amigos tinham feito para ele os seguintes versos:

Bom é ver toda tarde ou matina
Do Perego a casa e a cantina.

As irmãs do Barbison eram chamadas "as Beatas" por serem muito carolas.

Havia ainda outra tia de minha mãe, a tia Cecilia, que era famosa por uma frase. Certa vez, minha mãe lhe contara que tinham ficado preocupados por causa do meu avô, que estava demorando a voltar para casa, e temiam que lhe tivesse acontecido alguma coisa. A tia Cecilia foi logo perguntando: — E o que tinham para o almoço, arroz ou massa? — Massa — respondera minha mãe. — Ainda bem que não era arroz, porque, do contrário, sabe-se lá se não iria ficar cozido demais.

Meus avós maternos morreram ambos antes de meu nascimento. Minha avó materna, vó Pina, era de família modesta, e casara-se com meu avô que era seu vizinho de casa: rapazote de olhos grandes, distinto advogado em início de carreira, que ela, todos os dias à entrada, ouvia perguntar à zeladora: — Tem *corespondência* para mim? — Meu avô falava *corespondência*, com um "*r*" só e com o "*e*" aberto; e minha avó achava este modo de pronunciar a palavra um grande sinal de distinção. Foi por isso que ela se casou com ele; e também porque desejava fazer, para o inverno, um casaquinho de veludo preto. Não foi um casamento feliz.

Quando moça, minha avó Pina era loira e graciosa; e uma vez tinha representado numa companhia de amadores. Quando o pano se levantava, lá estava minha avó Pina com um pincel e um cavalete, dizendo as seguintes palavras:

— Não posso continuar pintando; meu espírito não se presta ao trabalho e à arte; ele voa para longe daqui e nutre-se de ideias dolorosas.

Meu avô, mais tarde, mergulhou no socialismo; e era amigo de Bissolati, de Turati e da Kulichov. Minha avó Pina permaneceu sempre alheia à vida política do marido. Quando ele enchia a casa de socialistas, minha avó Pina costumava dizer da filha, com amargura: — Esta menina aí vai acabar se casando com um incendiário. — Depois, separaram-se. Meu avô, nos últimos anos de vida, abandonara a política e retomara seu trabalho de advogado; porém, dormia até as cinco da tarde e, quando chegavam clientes, dizia:

— O que vieram fazer? Mande-os embora!

Minha avó Pina, nos últimos anos, morava em Florença; e às vezes ia visitar minha mãe, que nesse ínterim se casara, e também morava em Florença; minha avó Pina, porém, morria de medo de meu pai. Um dia viera ver meu irmão Gino, ainda em fraldas, que estava um pouco febril; para acalmar meu pai, que estava todo agitado, minha avó Pina dissera-lhe que talvez fosse uma febre por causa da dentição. Meu pai tinha ficado furioso porque afirmava que a dentição não dá febre; e minha avó Pina, encontrando, ao sair, meu tio Silvio que também viera nos visitar: — Não diga que é por causa dos dentes — sussurrou-lhe nas escadas. Exceto "não diga que é por causa dos dentes" "esta menina aí vai acabar se casando com um incendiário" e "não posso continuar pintando", eu, dessa minha avó, não sei nada, e dela não me chegaram outras palavras. Isto é, lembro ainda que em nossa casa repetia-se a seguinte frase de sua autoria:

— Todo santo dia acontece uma, todo santo dia acontece uma, a Drusilla também quebrou os óculos.

Tivera três filhos, o Silvio, minha mãe e a Drusilla, que era míope e sempre quebrava os óculos. Morreu em Florença, solitária, depois de uma vida de muito sofrimento: seu filho mais velho, o Silvio, suicidou-se aos trinta anos, disparando na têmpora, certa noite, nos jardins públicos de Milão.

Depois do colégio, minha mãe deixou Milão e foi morar em Florença. Matriculou-se em medicina; mas nunca terminou a universidade, porque conheceu meu pai e casou-se com ele. Minha avó, mãe de meu pai, não queria o casamento porque minha mãe não era judia: e alguém lhe contara que minha mãe era uma católica muito devota: e que toda vez que via uma igreja, fazia grandes reverências e sinais da cruz. Não era absolutamente verdade: ninguém, na família de minha mãe, ia à igreja ou fazia sinais da cruz. Minha avó, então, opôs-se durante um tempo; depois aceitou conhecer minha mãe, e uma noite encontraram-se no teatro, assistindo juntas a uma peça, onde havia uma mulher branca que acabara entre os mouros; e uma moura com ciúme dela rangia os dentes e dizia, fitando-a com olhos terríveis: — Bisteca, sinhá branca! Bisteca, sinhá branca!. — Bisteca, sinhá branca! — dizia sempre minha mãe, toda vez que comia uma bisteca. Tinham recebido poltronas grátis para aquela peça porque o irmão de meu pai, o tio Cesare, era crítico teatral. Esse tio Cesare era completamente diferente de meu pai, tranquilo, gordo e sempre alegre; como crítico teatral, não era absolutamente rigoroso, não queria nunca falar mal de peça alguma, mas em todas encontrava algo de bom, e quando minha mãe dizia-lhe que tinha achado tola uma peça, ele ficava bravo e dizia: — Então, experimente você escrever uma peça como aquela. — Mais tarde, o tio Cesare casou-se com uma atriz; isso, para minha avó, foi uma grande tragédia, e por muitos anos não quis que o tio Cesare lhe apresentasse a mulher, porque uma atriz parecia-lhe pior ainda do que alguém que fizesse sinais da cruz.

Meu pai, ao se casar, trabalhava em Florença, na clínica de um tio de minha mãe, que era apelidado de "o Demente" porque era médico de loucos.* O Demente, na verdade, era homem de grande inteligência, culto e irônico; e não sei se chegou a ficar sabendo que, em família, era chamado assim. Minha mãe conheceu, na casa de minha avó paterna, a corte variada das Margheritas e das Reginas, primas e tias de meu pai; e também a famosa Vandea, ainda viva naquela época. Quanto ao avô Parente, morrera fazia tempo; assim como sua mulher, a avó Dolcetta e o criado deles, o Bepo carregador. Da avó Dolcetta, sabia-se que era pequena e gorda, como uma bola; e que sempre tinha indigestão porque comia demais. Passava mal, vomitava e enfiava-se na

---

* Referência a Eugenio Tanzi.

cama; mas logo depois encontravam-na comendo um ovo: — É que é fresco — dizia para se justificar.

O avô Parente e a avó Dolcetta tinham uma filha, chamada Rosina. Essa Rosina perdeu o marido, que a deixou com filhos pequenos e pouco dinheiro. Voltou, então, à casa paterna. E no dia seguinte à sua volta, enquanto todos se sentavam à mesa, a avó Dolcetta disse, olhando para ela:

— O que é que está acontecendo com a nossa Rosina hoje, que perdeu seu humor de sempre?

Foi minha mãe quem nos contou com pormenores a história do ovo da vó Dolcetta, e a história da nossa Rosina; porque meu pai, ele, contava mal, de modo confuso, e sempre entremeando a narrativa com suas risadas trovejantes, já que as lembranças de sua família e de sua infância o enchiam de contentamento; por isso, daquelas narrativas rompidas por longas risadas, nós não entendíamos lá muita coisa.

Minha mãe, ao contrário, alegrava-se contando histórias porque sentia o maior prazer em contá-las. Começava a contar à mesa, dirigindo-se a um de nós: e quer quando contava sobre a família de meu pai, quer quando contava sobre a sua, enchia-se de alegria e era sempre como se contasse aquela história pela primeira vez, para ouvidos que dela não sabiam nada. — Eu tinha um tio — começava — que era chamado Barbison. — Se então alguém dizia: — Esta história eu conheço! Já escutei mil vezes! — Ela então se dirigia a um outro e continuava contando em voz baixa. — Já ouvi esta história mais de mil vezes! — trovejava meu pai, quando passava por perto e apanhava no ar uma palavra ou outra. Minha mãe, em voz baixa, contava.

O Demente tinha em sua clínica um louco que acreditava ser Deus. Toda manhã, o Demente lhe dizia: — Bom dia, ilustre senhor Lipmann. — E aí o louco respondia: — Ilustre talvez sim, Lipmann provavelmente não! — Porque ele acreditava ser Deus.

E havia também a famosa frase de um maestro, conhecido de Silvio, que, achando-se em Bergamo para uma *tournée*, dissera aos cantores desatentos ou indisciplinados:

— Não viemos a Bergamo para nos divertir, mas para levar a *Carmen*, obra-prima de Bizet.

Somos cinco irmãos. Moramos em cidades diferentes, alguns de nós estão no exterior: e não nos correspondemos com frequência. Quando nos encontramos, podemos ser, um com o outro, indiferentes ou distraídos. Mas, entre nós, basta uma palavra. Basta uma palavra, uma frase: uma daquelas frases antigas, ouvidas e repetidas infinitas vezes, no tempo de nossa infância. Basta-nos dizer: "Não viemos a Bergamo para nos divertir" ou "Do que é que o ácido sulfídrico tem cheiro", para restabelecer de imediato nossas antigas relações, nossa infância e juventude, ligadas indissoluvelmente a essas frases, a essas palavras. Uma dessas frases ou palavras faria com que nós, irmãos, reconhecêssemos uns aos outros na escuridão de uma gruta, entre milhões de pessoas. Essas frases são o nosso latim, o vocabulário de nossos tempos idos é como os hieróglifos dos egípcios ou dos assírio-babilônicos, o testemunho de um núcleo vital que deixou de existir, mas que sobrevive em seus textos, salvos da fúria das águas, da corrupção do tempo. Essas frases são o fundamento de nossa unidade familiar, que subsistirá enquanto estivermos no mundo, recriando-se e ressuscitando nos mais diferentes pontos do planeta, quando um de nós disser — Ilustre senhor Lipmann — e logo ressoar em nossos ouvidos a voz impaciente de meu pai: — Parem com essa história! Eu já ouvi isso mais de mil vezes!

Como afinal daquela raça de banqueiros, que eram os antepassados e os parentes de meu pai, foram sair meu pai e seu irmão Cesare, completamente destituídos de qualquer tino para os negócios, eu não sei. Meu pai gastou sua vida na pesquisa científica, profissão que não lhe dava dinheiro; e tinha do dinheiro uma ideia das mais vagas e confusas, dominada por uma indiferença substancial; por isso, quando lhe aconteceu de ter que lidar com dinheiro, sempre o perdeu, ou pelo menos conduziu-se de modo a perdê-lo, e se não o perdeu e deu-se bem, foi um mero acaso. A preocupação de ficar, de uma hora para outra, na miséria acompanhou-o por toda a vida; preocupação irracional, que morava nele unida a outros maus humores e pessimismos, como o pessimismo sobre o sucesso e a sorte de seus filhos; preocupação que pesava nele como um amontoado sombrio de nuvens negras sobre rochas e montanhas, e que, ao mesmo tempo, não tocava, nas profundezas de seu espírito, sua essencial, absoluta, íntima indiferença pelo dinheiro. Dizia "uma grande soma" ao falar de cinquenta liras, ou melhor, cinquenta francos, como ele dizia, porque sua unidade de medida monetária era o franco, e não a lira. À noite fazia a ronda dos aposentos, trovejando contra nós que deixávamos as luzes acesas; mas em seguida acontecia-lhe perder milhões sem quase dar-se conta, ou com certos títulos, que comprava e vendia ao acaso, ou com editores, aos quais entregava seus trabalhos, deixando de exigir por eles uma compensação justa.

Depois de Florença, meus pais tinham ido morar na Sardenha, porque meu pai fora nomeado professor em Sassari; e, durante alguns anos, viveram lá. Depois se transferiram para Palermo, onde nasci eu: a última dos cinco irmãos. Meu pai foi à guerra, como oficial médico, no Carso. E por último viemos morar em Turim.

Os primeiros anos de Turim foram tempos difíceis para minha mãe; a Primeira Guerra Mundial mal tinha terminado; havia o pós-guerra, a carestia, tínhamos pouco dinheiro. Em Turim fazia frio, e minha mãe queixava-se do frio e da casa que meu pai tinha arranjado antes de chegarmos, sem consultar ninguém, e que era úmida e escura. Minha mãe, pelo que meu pai dizia, queixara-se em Palermo, queixara-se em Sassari: sempre achara um jeito de reclamar. Agora falava de Palermo e de Sassari como do paraíso terrestre. Tinha muitas amizades, tanto em Palermo como em Sassari, às quais, porém, não escrevia, porque era incapaz de manter relações com pessoas distantes; ali tivera casas bonitas, ensolaradas, uma vida confortável e fácil, empregadas excelentes; em Turim, nos primeiros tempos, não conseguia arranjar empregadas. Até que um dia, não sei como, a Natalina apareceu em nossa casa; e lá ficou trinta anos.

Na verdade, mesmo reclamando e se queixando, minha mãe tinha sido feliz em Sassari e em Palermo: porque era alegre por natureza, e onde quer que fosse arranjava pessoas a quem amar e por quem ser amada, onde quer que fosse arranjava um jeito de se divertir com as coisas que tinha a seu redor, e de ser feliz. Era feliz também naqueles primeiros tempos em Turim, tempos difíceis quando não duros, e durante os quais chorava com frequência, por causa dos maus bofes de meu pai, por causa do frio, da saudade de outros lugares, de seus filhos que cresciam e que precisavam de livros, de agasalhos, de sapatos, e não havia dinheiro suficiente. Entretanto, era feliz, pois mal parava de chorar, tornava-se bastante alegre e cantava a plenos pulmões pela casa: o *Lohengrin*, *A chinela perdida na neve* e *Don Carlos Tadrid*. E mais tarde, quando se lembrava desses anos, dos anos em que ainda tinha todos os filhos em casa, e não havia dinheiro, os Imobiliários viviam despencando, e a casa era úmida e escura, falava sempre deles como de tempos bons e muito felizes.

— O tempo da Via Pastrengo — dizia mais tarde, para definir aquela época: a Via Pastrengo era onde morávamos então.

* * *

A casa da Via Pastrengo era muito grande. Tinha dez ou doze cômodos, um quintal, um jardim e uma varanda envidraçada que dava para o jardim; no entanto, era muito escura e certamente úmida, pois num inverno, no banheiro, brotaram dois ou três cogumelos. Esses cogumelos deram muito que falar na família: meus irmãos disseram à minha avó paterna, nossa hóspede naquele período, que os teríamos cozido e depois comido; minha avó, embora sem acreditar, assustava-se, ficava com nojo, e dizia: — Nesta casa avacalha-se com tudo.

Nessa época, eu era pequena; e só tinha uma vaga lembrança de Palermo, minha cidade natal, e da qual tinha partido aos três anos. Porém, eu também imaginava sentir saudade de Palermo, como minha irmã e minha mãe; da praia de Mondello, aonde íamos tomar banho de mar, de uma certa senhora Messina, amiga de minha mãe, de uma menina chamada Olga, amiga de minha irmã, e a quem eu chamava de "Olga viva", para diferenciá-la de Olga, minha boneca; e de quem dizia, toda vez que a víamos na praia: — Tenho vergonha da Olga viva. — Essas eram as pessoas que havia em Palermo e em Mondello. Embalada na saudade, ou numa ficção de saudade, fiz o primeiro poema de minha vida, composto de dois únicos versos:

Palermin, Palermin,
És mais belo que Turim.

Esse poema foi saudado em casa como sinal de uma precoce vocação poética; e eu, encorajada com tamanho sucesso, logo fiz mais dois poemas bem curtos, que diziam respeito às montanhas sobre as quais ouvia meus irmãos falarem:

Viva a Grivola
Que nunca se rola.

Viva o Monte Branco,
Que só tem barranco.

De resto, o hábito de fazer poesia era muito difundido em nossa casa. Uma vez, meu irmão Mario fizera um poema sobre certos meninos Tosi, que brincavam com ele em Mondello, e que ele não suportava:

E lá vêm vindo os senhores Tosi,
De tão chatos com eles ninguém pode.

Mas o mais famoso e o mais bonito era um poema que meu irmão Alberto fizera, aos dez ou onze anos, e que não era ligado a nenhum fato real, mas criado do nada, puro fruto da invenção poética:

A velha tiazinha
Não tinha tetinha
Mas teve um filhinho
Bem engraçadinho.

Em nossa casa, recitava-se A *filha de Iório*. Mas à noite, à mesa, recitava-se, sobretudo, um poema que minha mãe sabia e que nos ensinara, tendo-o escutado, em sua infância, num recital beneficente em favor dos desabrigados por uma inundação na planície do Pó:

Há muitos dias que todos tremiam ali!
E os velhos diziam: "As águas, Nossa Senhora,

Engrossam de hora em hora!
Ouçam, meus filhos; peguem tudo, sumam daqui!"
Mas qual! deixar sozinhos, esses pobres velhinhos!
O pai não desejava; e depois ele é valente e jovem, e não
[acreditava
Que fosse acontecer uma coisa tão danosa.
Naquela noite ainda disse à minha mamãe: "Rosa,
Põe as crianças na cama, e vai dormir em paz.
O Pó está calmo como um gigante que jaz
No grande leito de terra que lhe cavou Deus.
Vai dormir; que ânimos firmes como o meu
Velam à margem; que ombros fortes até a morte,
Deste pobre vale vão defendendo a sorte".

Minha mãe esquecera a sequência; e acho que se lembrava sem muita exatidão também desse início, porque lá onde diz "Ele é valente e jovem", por exemplo, o verso alonga-se sem respeitar qualquer métrica. Mas supria as imprecisões de sua memória com a ênfase que punha nas palavras.

Que ombros fortes até a morte,
Deste pobre vale vão defendendo a sorte!

Meu pai não suportava esse poema; e quando nos ouvia declamá-lo com minha mãe, ficava bravo e dizia que fazíamos "teatrinho", e que éramos incapazes de ocuparmo-nos de coisas sérias.

Quase toda noite, Terni e alguns amigos de meu irmão Gino, o mais velho de nós, que, naquela época, frequentava o Politécnico, vinham nos visitar. Ficava-se à mesa recitando poemas, cantando.

Eu sou dom Carlos Tadri
Sou estudante em Madri!

cantava minha mãe; e meu pai, que ficava lendo em seu escritório, aparecia de vez em quando na porta da sala de jantar, desconfiado, carrancudo, com o cachimbo na mão.
— Sempre falando parvoíces! Sempre fazendo teatrinho!
Os únicos assuntos que meu pai tolerava eram os assuntos científicos, a política, e certas transferências que ocorriam "na Faculdade", quando algum professor era chamado a Turim, injustamente, segundo ele, porque se tratava "de um parvo", ou quando um outro não era chamado a Turim, injustamente, por ser pessoa que ele julgava "de grande valor". Quanto aos assuntos científicos, e quanto ao que acontecia "na Faculdade", nenhum de nós estava em condições de acompanhá-lo; mas, à mesa, ele diariamente informava minha mãe tanto sobre a situação "na Faculdade" como sobre o que tinha acontecido a certas culturas de tecidos que colocara em lâminas de microscópio em seu laboratório; e ficava bravo se ela se mostrava distraída. À mesa, meu pai comia bastante, mas tão depressa que parecia não comer nada, porque seu prato estava logo vazio; estava convencido de que comia pouco, e transmitira sua convicção à minha mãe, que sempre lhe suplicava que comesse. Ele, ao contrário, ralhava com minha mãe, porque achava que ela comia demais.
— Não coma demais! Vai ter uma indigestão!
— Não arranque as cutículas! — trovejava de quando em quando. De fato, desde criança, minha mãe tinha a mania de arrancar as cutículas: isso depois de ter tido um unheiro, e em seguida o dedo que perdia a pele, certa vez, em seu colégio.
Todos nós, segundo meu pai, comíamos demais, e iríamos ter uma indigestão. Das comidas de que ele não gostava, dizia que faziam mal e que pesavam no estômago; das coisas de que

gostava, dizia que faziam bem e que "estimulavam o peristaltismo". Se vinha à mesa um prato que não lhe agradava, esbravejava: — Por que fazem a carne desse jeito? Sabem que não gosto!

— Se faziam só para ele um prato de algo que lhe agradava, esbravejava do mesmo modo:

— Não quero pratos especiais! Não me façam pratos especiais!

— Eu como de tudo — dizia. — Não sou enjoado como vocês. Não ligo a mínima para a comida!

— Não se fala sempre em comida! É uma falta de educação! — trovejava, se nos ouvia conversando sobre um prato ou outro. — Como gosto de queijo — dizia infalivelmente minha mãe, toda vez que o queijo chegava à mesa; e meu pai dizia:

— Como você é monótona! Vive repetindo sempre as mesmas coisas!

Meu pai gostava da fruta bem madura; por isso, quando nos calhava uma pera meio pisada, nós a oferecíamos a ele. — Ah, as peras podres vocês me dão! Cambada de burros! — dizia com uma gargalhada, que ecoava pela casa inteira; e comia a pera em duas dentadas.

— As nozes — dizia, quebrando nozes — fazem bem. Estimulam o peristaltismo.

— Você também é monótono — dizia-lhe minha mãe. — Você também repete sempre as mesmas coisas.

Meu pai, então, ficava ofendido: — Que burra! — dizia. — Logo você vem me dizer que eu sou monótono! É burra mesmo!

Quanto à política, em nossa casa travavam-se discussões ferozes que acabavam em escarcéus, guardanapos atirados pelos ares e portas batidas com tanta violência a ponto de fazer retumbar a casa. Eram os primeiros anos do fascismo. Por que meu pai e meu irmão discutiam com tamanha ferocidade, não consigo entender, visto que, como acho, eram todos contra o fascismo; recentemente, perguntei a meus irmãos, mas nenhum soube me explicar. No entanto, todos lembravam essas brigas ferozes. Acho que meu irmão Mario, por espírito de contradição para com meus pais, defendia Mussolini de algum modo; e isso, certamente, deixava meu pai fora de si: que discutia sempre a propósito de tudo com meu irmão Mario, porque achava que ele era sempre de opinião contrária à sua.

De Turati, meu pai dizia que era um ingênuo; e minha mãe, que não considerava a ingenuidade um defeito, concordava, suspirava e dizia: — Pobre Filippet meu. — Naquela época, passando por Turim, Turati veio uma vez à nossa casa; e lembro-me dele, enorme como um urso, com a barba grisalha arredondada, em nossa sala de visitas. Vi-o duas vezes: nessa época, e mais tarde, quando precisou fugir da Itália, e morou conosco, escondido, por uma semana. Contudo, não consigo lembrar uma única palavra do que tenha dito naquele dia, em nossa sala: lembro-me de muita gritaria e de muita discussão, e só.

Meu pai voltava para casa sempre furioso, por ter encontrado no caminho cortejos de camisas-negras; ou por ter descoberto nas reuniões da faculdade novos fascistas entre seus conhecidos. — Palhaços! Safados! Palhaçadas! — dizia, sentando-se à mesa; batia o guardanapo, batia o prato, batia o copo e bufava de desprezo. Costumava expressar seu pensamento pela rua, em voz alta, com os conhecidos que o acompanhavam até a casa; e eles olhavam assustados à própria volta. — Poltrões! Negros! — trovejava meu pai em casa, contando sobre o medo daqueles seus conhecidos; e divertia-se em assustá-los, creio, falando em voz alta pela rua enquanto estava com eles; em parte divertia-se, e em parte não sabia controlar o timbre da voz, que soava sempre fortíssimo, mesmo quando ele acreditava estar sussurrando.

A propósito do timbre de sua voz, que não sabia controlar, Terni e minha mãe contavam que um dia, numa cerimônia de professores, quando estavam todos reunidos nos salões da universidade, minha mãe tinha perguntado em voz baixa a meu pai o nome de alguém que se encontrava a poucos passos de distância. — Quem é? — gritara fortíssimo meu pai, de modo que todos se viraram. — Quem é? Já lhe digo quem é! É um perfeito imbecil!

Meu pai, geralmente, não suportava as anedotas, as que nós e minha mãe contávamos: as anedotas, em casa, chamavam-se "piadinhas", e nós sentíamos, em contá-las e ouvi-las, o maior prazer. Mas meu pai ficava bravo. Entre as brincadeirinhas, ele tolerava apenas as antifascistas; e também certas brincadeirinhas de seu tempo, que ele e minha mãe sabiam, e que às vezes, de noite, ele evocava, com os Lopez, os quais, de resto, também as conheciam de velho. Algumas dessas piadinhas pareciam-lhe muito picantes, embora fossem muito inocentes, acho; e quando estávamos presentes, queria contá-las sussurrando. Sua voz, então, tornava-se um rumoroso zumbido, no qual podíamos distinguir bastante bem muitas palavras: entre as quais a palavra *cocotte*, que sempre aparecia naquelas piadinhas do século XIX, e que ele, tentando cochichá-la, pronunciava mais forte do que as outras, e com especial prazer e malícia.

Meu pai sempre se levantava às quatro da madrugada. Sua primeira preocupação, ao despertar, era ir ver se o *mezzorado* tinha dado certo. O *mezzorado* era leite azedo, que ele tinha aprendido a fazer com uns pastores, na Sardenha. Era iogurte, simplesmente. O iogurte, naquela época, ainda não estava na moda: e não se encontrava à venda nas leiterias e nos bares, como agora. Meu pai, tanto em tomar iogurte como em muitas outras coisas, era um pioneiro. Naquele tempo, os esportes de inverno ainda não estavam na moda; e, em Turim, meu pai talvez fosse o único a praticá-los. Mal caía um pouco de neve, partia para Clavières, na tarde de sábado, com os esquis nos ombros. Não existiam, então, nem Sestrières, nem os hotéis de Cervinia. Meu pai dormia habitualmente num abrigo acima de Clavières, chamado Cabana Mautino. Às vezes, arrastava consigo meus irmãos ou alguns assistentes que, como ele, tinham paixão pela montanha. Os esquis, ele os chamava de *"os skis"*. Aprendera a esquiar quando moço, numa temporada na Noruega. Ao voltar no domingo à tarde, sempre dizia que a neve estava horrível. Para ele, a neve sempre estava ou muito aguada, ou muito seca. Como o *mezzorado*, que nunca estava no ponto: e sempre lhe parecia ou muito aguado, ou muito denso.

— Lidia! O *mezzorado* não "deu!" — trovejava pelo corredor. O *mezzorado* ficava na cozinha, dentro de uma sopeira, coberto por um prato e envolto num velho xale cor de salmão, que antes pertencia à minha mãe. Às vezes, não "tinha dado" realmente, e era preciso jogá-lo fora: não passava de um caldinho verde, com alguns blocos sólidos de um branco marmóreo. O *mezzorado* era delicadíssimo, e um nada era o bastante para que não desse certo: bastava que o xale que o envolvia estivesse um pouco afastado, e deixasse filtrar um pouco de ar. — Hoje também não "deu!". Tudo culpa da sua Natalina! — trovejava meu pai do corredor para minha mãe, que ainda estava meio adormecida, e respondia-lhe da cama com palavras desconexas. Quando saíamos de férias, devíamos nos lembrar de trazer "a mãe do *mezzorado*", que era uma xicrinha de *mezzorado* bem embrulhada e amarrada com um barbante. — Onde está a mãe? Pegaram a mãe? — perguntava meu pai no trem, revistando a mochila de montanhismo. — Não está! Aqui não está! — gritava; e, às vezes, a mãe tinha sido realmente esquecida, e era preciso recriá-la do nada, com levedo de cerveja.

De manhã, meu pai tomava uma ducha fria. Soltava, sob a água fustigante, um grito parecido com um longo rugido;

depois se vestia e engolia grandes xícaras daquele *mezzorado* gelado, no qual punha muitas colheres de açúcar. Saía de casa com as ruas ainda às escuras e quase desertas; saía no sereno, no frio daquelas auroras de Turim, com uma boina larga na cabeça, que lhe formava quase uma viseira na testa, com uma capa comprida e larga, cheia de bolsos e de botões de couro; com as mãos às costas, o cachimbo, aquele seu andar torto, um ombro mais alto que o outro; ainda não havia quase ninguém nas ruas, mas com as poucas pessoas que havia ele conseguia dar encontrões ao passar, caminhando encolhido, cabisbaixo.

Àquela hora, em seu laboratório, não havia ninguém; talvez só o Conti, seu servente: um homenzinho miúdo, pacato, submisso, de avental cinzento, que gostava muito de meu pai e de quem meu pai também gostava; e que vinha de vez em quando à nossa casa, quando era preciso consertar um armário, trocar um fusível da luz, ou amarrar os baús. Conti, de tanto ficar no laboratório, aprendera anatomia; e quando havia exames, soprava, e meu pai ficava furioso; mas depois, em casa, contava satisfeito para minha mãe que o Conti sabia anatomia melhor do que os estudantes. No laboratório, meu pai enfiava um avental cinzento, igual ao do Conti; e ia berrando pelos corredores como costumava berrar no corredor de casa.

Eu sou dom Carlos Tadri
Sou estudante em Madri!

cantava minha mãe a plenos pulmões, enquanto se levantava e escovava os cabelos, ainda completamente ensopados: ela também, como meu pai, tomava uma ducha fria; e tinham, ambos, umas luvas espinhosas com as quais se esfregavam depois do chuveiro, para se esquentar. — Estou gelada! — dizia minha mãe, mas com alegria, porque gostava muito da água fria —, ainda estou toda gelada! Que frio está fazendo! — E ainda ia, encolhida no roupão, com a xícara de café na mão, dar uma volta no jardim. Meus irmãos estavam todos na escola, e tinha-se naquele momento um pouco de paz na casa. Minha mãe cantava e sacudia os cabelos molhados no ar da manhã. Depois ia conversar com a Natalina e a Rina no quarto de passar.

O quarto de passar também se chamava "quarto dos armários". Ali ficava a máquina de costura; e ali a Rina passava o dia, costurando à máquina. Essa Rina era uma espécie de costureira a domicílio: porém, boa somente para revirar nossos casacos e para remendar as calças. Não fazia roupas. Quando não estava em casa, estava nos Lopez: era objeto de revezamento entre a Frances e minha mãe. Era uma mulherzinha pequena, uma espécie de anã; chamava minha mãe de "dona mamã", e quando encontrava meu pai no corredor, fugia como um rato, porque ele não a suportava.

— A Rina! Hoje também a Rina está aqui! — esbravejava meu pai. — Não a suporto! É uma mexeriqueira! E depois não presta para nada! — Mas os Lopez também sempre a chamam — justificava-se minha mãe.

A Rina tinha um humor inconstante. Quando vinha à nossa casa, depois de um período sem aparecer, mostrava-se gentil e pródiga em mil trabalhos; projetava reformar todos os nossos colchões e travesseiros, lavar as cortinas e tirar as manchas dos tapetes com borra de café, como vira fazer na casa da Frances. Porém, logo se cansava; aborrecia-se, zangava comigo e com Lucio, que ficávamos rodeando porque antes nos tinha prometido passeios e balas; Lucio, o filho caçula da Frances, vinha quase todos os dias brincar em casa. — Me deixem em paz! Preciso trabalhar! — dizia a Rina, emburrada, costurando à máquina; e brigava com a Natalina.

— Aquele diacho da Rina! — dizia minha mãe nas manhãs em que a Rina, sem ter avisado, não comparecia, e não se sabia onde fora se meter, visto que nem mesmo a Frances pusera os olhos nela. Havia colchões e travesseiros que, por iniciativa dela, estavam desfeitos, flocos de lã que se amontoavam no quarto dos armários; e tapetes nos quais as borras de café tinham deixado manchas amareladas. — Aquele diacho da Rina! Nunca mais vou chamá-la! — A Rina, algumas semanas depois, retornava: hílare, gentil, pródiga em iniciativas e promessas. E minha mãe logo esquecia suas faltas; e metia-se no quarto dos armários para ouvir a conversa fiada da Rina que costurava à máquina, rápida, pedalando com seu minúsculo pé de anã, calçado com um chinelo de pano.

A Natalina, dizia minha mãe, parecia-se com Luís XI. Era pequena, magra, com o rosto comprido, os cabelos penteados e lisos, às vezes suntuosamente frisados a ferro. — Meu Luís XI — dizia minha mãe de manhã, quando a via entrar no quarto, carrancuda, com um cachecol no pescoço, o balde e a vassoura na mão. A Natalina fazia confusão entre os pronomes femininos e masculinos. Dizia à minha mãe: — Ela saiu de manhã sem o sobretudo. — Ela quem? — O menino Mario. Deve dizer isso a ela. — Ela quem? — Ele, ele, dona Lidia — dizia, ofendida, a Natalina, batendo o balde.

A Natalina, explicava minha mãe falando dela a suas amigas, era "um raio" porque fazia os trabalhos domésticos com uma rapidez extraordinária: e era um "terremoto" porque fazia tudo com violência e estardalhaço. Tinha uma cara de cachorro sem dono, pois tivera uma infância infeliz; era órfã, crescida em orfanatos e asilos, estivera mais tarde a serviço de patroas cruéis. Sentia por suas antigas patroas, de quem contava que lhe davam tapas de fazer doer a cabeça por dias seguidos, uma ponta de saudade. Escrevia-lhes, no Natal, suntuosos cartões dourados. Às vezes, mandava-lhes até presentes. Nunca tinha um tostão no bolso, era generosa, grandiosa no gastar, e sempre pronta a fazer empréstimos a certas amigas, com as quais saía aos domingos. Aquele jeito de cachorro sem dono, ela sempre o conservou; descarregava em cima da gente, entretanto, e, particularmente, em cima de minha mãe, sua vontade sarcástica, despótica e teimosa. Mantinha com minha mãe, que amava ternamente e por quem era ternamente amada, uma relação áspera, sarcástica e nada servil. — Ainda bem que ele é uma senhora, senão como faria para ganhar a vida, ele que não sabe fazer nada — dizia à minha mãe. — Ele quem? — Ele, ela, a senhora!

Em casa, vivíamos sempre no pesadelo dos escarcéus de meu pai, que explodiam de improviso frequentemente por motivos insignificantes, como um par de sapatos não encontrado, um livro fora do lugar, uma lâmpada queimada, um breve atraso na refeição ou um prato que passara muito do ponto. Ao mesmo tempo, vivíamos no pesadelo das brigas entre meus irmãos Alberto e Mario, pois eles também explodiam de improviso, ouvia-se, de repente, no quarto deles um barulho de cadeiras derrubadas e de paredes espancadas, depois gritos lancinantes e selvagens. Alberto e Mario já eram dois rapazes crescidos, fortíssimos, que quando se pegavam a socos machucavam-se, saíam de lá com os narizes sangrando, os lábios inchados, as roupas rasgadas. — *Tão se matando!* — gritava minha mãe, engolindo o "*es*" no susto. — Beppino, venha, *tão se matando!* — gritava, chamando meu pai.

A intervenção de meu pai, como qualquer ato seu, era violenta. Metia-se no meio dos dois que se batiam, agarrados, e cobria-os de tabefes. Eu era pequena; e lembro-me com terror dos três homens lutando ferozmente. Também os motivos por que Mario e Alberto se espancavam eram fúteis, como fúteis eram os motivos por que explodiam as cóleras de meu pai: um livro não encontrado, uma gravata, a precedência no banho. Certa vez que Alberto apareceu na escola com a cabeça enfaixada, um professor perguntou-lhe o que tinha acontecido. Ele se levantou e disse: — Meu irmão e eu queríamos tomar banho.

Mario, dos dois, era o mais alto, e era o mais forte. Tinha mãos duras como ferro e, na cólera, tinha um frenesi nervoso, que enrijecia seus músculos, os tendões, os maxilares. Quando criança tinha sido um tanto fraco, e meu pai levava-o para caminhar na montanha, para fortalecê-lo: como fazia, de resto, com todos nós. Mario desenvolvera um ódio surdo pela montanha; e logo que pôde subtrair-se à vontade de meu pai, deixou de ir completamente. Mas, naquele tempo, ainda precisava ir. Suas cóleras, às vezes, estouravam também sobre as coisas: às vezes, não era Alberto o objeto de sua raiva, mas algo que não obedecia ao furor de suas mãos. Depois do almoço de sábado, descia à adega para procurar seus esquis: e enquanto os procurava, era tomado de uma cólera silenciosa, quer porque não os encontrava, quer porque as presilhas não abriam, por mais que lutasse com elas. Certamente, em sua cólera, tanto Alberto quanto meu pai estavam presentes, embora distantes no momento; Alberto, lidando com suas coisas; e meu pai, teimando em levá-lo à montanha, quando ele odiava a montanha, e obrigando-o a levar esquis velhos e com presilhas enferrujadas. Às vezes tentava calçar as botas e não conseguia enfiá-las. Sozinho, lá na adega, fazia o diabo; e nós, em cima, ouvíamos a barulheira. Atirava no chão todos os esquis da casa, batia presilhas, botas, peles de foca, arrebentava cordas e afundava gavetas, chutava cadeiras, paredes, pernas de mesas. Lembro tê-lo visto um dia sentado na sala de visitas, lendo o jornal sossegado: de repente, foi tomado por uma daquelas suas raivas silenciosas e pôs-se a rasgar o jornal, furiosamente. Rangia os dentes, batia os pés no chão e rasgava o jornal. Daquela vez, nem Alberto nem meu pai tinham culpa de nada. Simplesmente, numa igreja próxima, tocavam os sinos: e aquele som insistente deixara-o exasperado.

Certa vez, à mesa, por causa de um escarcéu que meu pai tinha feito com ele, nem sequer dos mais terríveis, pegou a faca de pão e pôs-se a raspar o dorso da mão. O sangue jorrou aos borbotões: lembro o susto, os gritos, as lágrimas de minha mãe, e meu pai, ele também assustado e gritando, com gazes esterilizadas e tintura de iodo.

Depois de brigar com Alberto e se espancarem, por uns dias Mario ficava "de tromba", ou "de lua", como se dizia em nossa casa. Sentava-se à mesa pálido, com as pálpebras inchadas, os olhos bem pequenos; Mario sempre teve olhos pequenos, apertados e puxados, de chinês; mas nos dias "de lua" eles se reduziam a duas fissuras invisíveis. Não abria a boca. Geralmente, fazia tromba porque achava que em casa sempre davam razão a Alberto, contra ele; e achava também que já era bastante adulto para que meu pai ainda se desse ao direito de estapeá-lo. — Viu só que tromba o Mario está fazendo? Viu só que lua? — dizia meu pai à minha mãe, mal ele saía da sala. — Por que é que está de lua? Não disse nenhuma palavra! Que burro!

Depois, um belo dia, a lua de Mario mudava. Entrava na sala, sentava-se numa poltrona e acariciava as bochechas com um sorriso absorto, com os olhos entreabertos. Começava a falar: — *Il baco del calo del malo.* — Era uma brincadeirinha que ele fazia e da qual gostava muito, repetindo-a insaciavelmente. — *Il baco del calo del malo. Il beco del chelo del melo. Il bico del chilo del milo.* — Mario! — berrava meu pai. — Não fale palavrões!*

— *Il baco del calo del malo* — repetia Mario, logo que meu pai saía. Ficava conversando na sala com minha mãe e com Terni, que era grande amigo seu. — Como o Mario é amável quando está bem! — dizia minha mãe. — Como é simpático! Parece o Silvio!

---

* Com a vogal "*u*", em italiano: "*Il buco del culo del mulo*": "O buraco do cu do burro".

O Silvio era aquele irmão de minha mãe que se matara. Em nossa casa sua morte estava envolta em mistério: agora eu sei que se matou, mas não sei bem por quê. Acho que esse ar de mistério em torno da figura do Silvio era insuflado principalmente por meu pai: porque não queria que soubéssemos que na nossa família havia um suicídio; e, quem sabe ainda, por razões outras que ignoro. Quanto à minha mãe, ela falava de Silvio sempre com alegria: sendo ela de natureza tão alegre, que pegava e acolhia cada coisa, e que de cada coisa e de cada pessoa evocava o bem e a alegria, e deixando a dor e o mal na sombra, dedicando-lhes apenas, de quando em quando, um breve suspiro.

Silvio fora musicista e literato. Musicara alguns poemas de Paul Verlaine: "Les Feuilles mortes" e outros ainda. Sabia tocar pouco e mal, e murmurava suas árias, acompanhando-se ao piano com um dedo só; e aí, dizia à minha mãe: — Ouça, sua boba, ouça como isto é bonito. — Embora tocasse tão mal e cantasse com um fio de voz, era muito bonito ouvi-lo, dizia minha mãe. O Silvio era muito elegante, vestia-se com muito apuro; ai se não tivesse as calças bem passadas, com o vinco perfeito; tinha uma bela bengala com o castão de marfim, e saía por Milão com a bengala, com a palheta, e ia se encontrar com os amigos, discutir música nos cafés. Nas narrativas de minha mãe ele era sempre um personagem alegre: e seu fim, quando fiquei sabendo dos detalhes, pareceu-me indecifrável. Sobre o criado-mudo de minha mãe havia um retratinho desbotado dele, com a palheta e com os bigodinhos para cima, ao lado de uma outra fotografia de minha mãe com Anna Kulichov, de véu e chapéu com plumas, na chuva.

Do Silvio, em casa, havia também uma ópera que ficara incompleta, o *Peer Gynt*. Eram uns fascículos grandes, com páginas amarradas com fitinhas, no alto, em cima do armário. — Como o Silvio era espirituoso! — dizia sempre minha mãe. — Como era simpático! E o *Peer Gynt* era uma ópera de valor!

Minha mãe sempre tinha a esperança de que pelo menos um de seus filhos se tornasse musicista, como o Silvio: esperança esta que deu em nada, porque todos nós, em relação à música, mostrávamo-nos de uma surdez total, e quando tentávamos cantar, éramos desafinadíssimos: no entanto, todos queríamos cantar, e, de manhã, a Paola, arrumando seu quarto, cantava com voz triste de gato os trechos de ópera e as canções que ouvira de minha mãe. Às vezes, Paola ia com minha mãe aos concertos, afirmando amar a música: mas meus irmãos diziam que na verdade não passava de fingimento, e que não lhe interessava absolutamente. Quanto a mim e a meus irmãos, levados para experiência a um concerto ou outro, sempre dormimos; e levados à ópera, depois nos queixávamos "de toda aquela música que não deixava ouvir as palavras". Uma vez, minha mãe levou-me para ouvir a *Butterfly*. Tinha comigo o *Corriere dei Piccoli*: e li o tempo todo, tentando decifrar as palavras à luz fraca do proscênio e tapando as orelhas com a mão para não ouvir a barulheira.

Entretanto, quando minha mãe cantava, todos a escutávamos boquiabertos. Uma vez perguntaram ao Gino se conhecia as obras de Wagner. — Sim, claro — disse —, o *Lohengrin* eu ouvi minha mãe cantar.

Meu pai não só não amava a música, mas a odiava: odiava toda espécie de instrumento que produzisse música, quer se tratasse de um piano, de um acordeão ou de um tambor. Certa vez estava em Roma com ele, logo depois da guerra, num restaurante: entrou uma mulher para pedir esmolas. O garçom ameaçou enxotá-la. Meu pai ficou furioso com o garçom, berrou: — Eu o proíbo de enxotar esta pobre mulher! Deixe-a ficar! — Deu esmola à mulher; e o garçom, ofendido e com raiva, retirou-se a um canto, com seu guardanapo no braço. Então a mulher tirou do capote uma viola e pôs-se a tocar. Meu pai, logo em seguida, começou a dar sinais de impaciência, os sinais de impaciência que ele dava à mesa: deslocava o copo, deslocava o pão, deslocava os talheres e batia com o guardanapo nos joelhos. A mulher continuava a tocar, dobrando-se sobre ele com sua viola, agradecida por ele a ter defendido, e da viola saíam longos gemidos melancólicos. De repente, meu pai explodiu: — Pare com esta música! Vá embora! Detesto ouvir tocarem! — Mas a outra continuava: e o garçom, triunfante, calava-se lá no seu canto, imóvel, contemplando a cena.

Além do suicídio do Silvio, havia mais uma coisa em nossa casa que era sempre coberta por um vago mistério, embora dissesse respeito a pessoas das quais se falava continuamente: e era o fato de Turati e Kulichov, não sendo marido e mulher, viverem juntos. Também nesta espécie de mistério reconheço principalmente a intenção e os pudores de meu pai, porque minha mãe talvez, por si só, não teria pensado nisso. Teria sido mais simples que mentissem, dizendo-nos que eram marido e mulher. Ao contrário, não; de nós, ou pelo menos de mim, que ainda era pequena, escondiam que moravam juntos; e eu, ouvindo sempre os dois serem nomeados juntos, perguntava por quê, e se eram marido e mulher, ou irmão e irmã, ou o quê. Respondiam-me de modo confuso. Também não entendia de onde a Andreina, amiga de infância de minha mãe e filha da Kulichov, tinha sido tirada, e por que se chamava Costa; e não entendia o que tinha a ver com isso o Andrea Costa, que morrera fazia tempo, e que, no entanto, era frequentemente nomeado com essas pessoas.

Nas lembranças de minha mãe, Turati e Kulichov estavam sempre presentes: e eu sabia que ambos estavam vivos, que moravam em Milão (talvez juntos, talvez em casas separadas) e que ainda se dedicavam à política, que lutavam contra o fascismo. Na minha imaginação misturavam-se, entretanto, com outras figuras também sempre presentes nas lembranças de minha mãe:

os pais dela, o Silvio, o Demente, o Barbison. Pessoas mortas, ou de qualquer modo muito velhas, mesmo se ainda vivas, porque partícipes de tempos longínquos, de acontecimentos remotos, quando minha mãe era pequena, quando ouvira dizer "a irmã da minha cadela" e "do que é que o ácido sulfídrico tem cheiro"; pessoas que agora não se podiam encontrar, que não se podiam tocar, e que mesmo que fossem encontradas e tocadas não eram porém as mesmas de quando eu as imaginava, e que, mesmo se ainda vivas, tinham sido contagiadas pela proximidade dos mortos, com os quais habitavam em meu espírito: tinham adquirido, dos mortos, o andar inalcançável e leve.

— Oh, pobre Lidia — suspirava minha mãe de vez em quando. Desse modo sentia pena de si mesma, pelos desgostos que tinha, o dinheiro pouco, as broncas de meu pai, Alberto e Mario que viviam se batendo; Alberto que não tinha vontade de estudar e sempre ia jogar futebol; e as nossas trombas, e as trombas da Natalina.

Às vezes, até eu fazia tromba, ou tinha caprichos. Porém, era criança, e naquele tempo minhas trombas e meus caprichos não incomodavam muito minha mãe. — Está me pinicando! Está me pinicando! — começava a dizer de manhã, quando minha mãe me vestia e me enfiava certas malhas de lã que me incomodavam a pele. — Mas são malhas boas! — dizia minha mãe. — São da Neuberg! Não vai querer que eu jogue fora!

Minha mãe comprava nossas malhas "na Neuberg"; e se a malha era de Neuberg, devia, necessariamente, ser boa, macia, e não era possível que incomodasse a pele. As malhas eram compradas na Neuberg; os casacos eram feitos pelo alfaiate Maccheroni; quanto aos nossos calçados de inverno, disso se ocupava meu pai, e eram encomendados num sapateiro que se chamava "o senhor Castagneri" e tinha uma loja na Via Saluzzo.

Eu entrava na sala de jantar, fazendo tromba ainda, por causa da malha de Neuberg; e ao me ver entrar sombria, amuada, minha mãe dizia: — Lá vem a Maria Temporala!

Minha mãe odiava o frio; e era por isso que comprava, na Neuberg, todas aquelas malhas. Odiava o frio, mesmo tomando, todas as manhãs, aquela ducha gelada de que gostava. Mas o frio, o frio constante e penetrante dos dias de inverno, ela o odiava. — Que frio! — vivia dizendo, vestindo um pulôver por cima do outro e puxando as mangas sobre as mãos. — Que frio está fazendo! Eu detesto o frio! — E me puxava para baixo nos quadris a malha da Neuberg, enquanto eu me debatia. — Toda de lã, Lidia! — dizia, imitando uma antiga colega de escola. E dizia: — Pensar que, vendo você com esta bela malha quente, eu me sinto toda satisfeita.

Porém, odiava o calor também. Quando fazia calor punha-se a bufar, a afastar do pescoço a gola do vestido. — Que calor! Eu detesto o calor! — dizia. E meu pai dizia: — Como você é intolerante! Como vocês todos são intolerantes!

Quando viajava com meu pai, minha mãe carregava consigo um monte de pulôveres e roupas de peso variado, e não parava de se despir e de se vestir, às mínimas variações do tempo. — Não acho nunca a temperatura certa — dizia. Meu pai dizia: — Que chata que você é com o calor e o frio! Sempre acha do que reclamar!

Eu não queria nunca fazer a primeira refeição. Detestava leite. O *mezzorado*, mais ainda. Entretanto, minha mãe sabia que na casa da Frances, quando estava lá na hora da merenda, eu tomava xícaras de leite; e a mesma coisa na casa dos Terni. Na verdade eu bebia aquele leite, nos Terni e na Frances, com extrema repugnância; bebia por obediência e por timidez, estando fora de casa. Minha mãe metera na cabeça que do leite da casa da Frances eu gostava. Por isso de manhã traziam-me uma xícara de leite, e eu, regularmente, recusava-me a tocá-la. — Mas é leite da Frances! — dizia minha mãe. — É o leite do Lucio! É a vaca do Lucio! — Dava-me a entender que tinham ido buscar aquele leite na Frances; que o Lucio e a Frances tinham uma vaca particular, e que na casa deles o leite não era comprado do leiteiro, mas mandado vir todos os dias de umas terras que tinham na Normandia, um campo chamado Grouchet.

— É o leite do Grouchet! É o leite do Lucio — continuava minha mãe, por um tempo; mas como eu me recusasse terminantemente a bebê-lo, a Natalina acabava me preparando uma sopinha.

Eu não ia à escola, apesar de já ter idade para isso; porque meu pai dizia que na escola pegam-se micróbios. Meus irmãos também tinham feito o primário em casa, com professoras, pela mesma razão. Quem dava aulas para mim era minha mãe. Eu não entendia a aritmética; e não conseguia aprender a tabuada. Minha mãe se esgoelava. Pegava pedras no jardim e enfileirava-as na mesa ou pegava balas. Em nossa casa balas não eram consumidas porque meu pai dizia que estragavam os dentes; e jamais tinha chocolate ou outros doces, porque era proibido comer "fora de hora". Os únicos doces permitidos, porém, sempre à mesa, eram uns filhoses chamados *smarren*, que não sei qual cozinheira alemã ensinara; parece que eram baratos, e eram servidos com tamanha frequência que nós não podíamos nem mais vê-los. Depois havia um doce que a Natalina sabia fazer e que se chamava "o doce de Gressoney"; talvez porque a Natalina tivesse aprendido a fazê-lo quando estávamos em Gressoney, na montanha.

Balas, minha mãe as comprava somente para ensinar-me aritmética. Mas essa aritmética ligada às pedras, às balas, aumentava ainda mais minha aversão. Minha mãe, para aprender métodos didáticos modernos, tinha assinado uma revista educacional, chamada Os Direitos da Escola. Não sei o que tenha aprendido naquela revista a respeito dos sistemas pedagógicos; talvez nada; porém, tinha encontrado ali um poema que lhe agradava muito, e que costumava recitar para meus irmãos:

> E todos gritaremos
> Viva a mão gentil
> de infanta senhoril
> que pratica a virtude.

Ao ensinar geografia, minha mãe me contava sobre todos os países onde meu pai estivera quando moço. Tinha estado na Inglaterra, onde pegara cólera e, creio, febre amarela; e tinha estado na Alemanha e na Holanda. Tinha estado mais tarde até em Spitzberg. Em Spitzberg, entrara no crânio de uma baleia à procura dos gânglios cerebroespinhais: mas não conseguira encontrá-los. Sujara-se todo com o sangue da baleia, e as roupas que trouxera de volta estavam emporcalhadas e duras de sangue seco. Havia em nossa casa muitas fotografias de meu pai com as baleias; e minha mãe mostrava para mim as fotografias, mas eu ficava um pouco decepcionada com elas, porque estavam fora de foco, e meu pai só aparecia no fundo, uma sombra minúscula; e da baleia não dava para ver nem a cara nem a cauda, via-se apenas uma espécie de colina serrilhada, cinzenta e enevoada: e a baleia era aquilo.

Na primavera muitas rosas cresciam em nosso jardim: e como as conseguiam eu não sei, visto que nenhum de nós sequer sonhava em regar ou podar as roseiras; se uma vez por ano vinha um jardineiro, era muito: e vê-se que era o suficiente.

— As rosas, Lidia! As violetas, Lidia! — dizia minha mãe, passeando pelo jardim e imitando aquela sua colega de escola. Na primavera, vinham ao nosso jardim os filhos do Terni com a babá Assunta, que usava um avental branco e meias brancas de fio escócia: tirava os sapatos e os colocava a seu lado no gramado. O Cucco e a Lullina, os filhos do Terni, também usavam roupas brancas, e minha mãe vestia-lhes os meus aventais, para brincarem sem se sujar. — Ssst, ssst! Olhe o que o Cucco está fazendo! — dizia Terni, admirando seus filhos que brincavam com terra. Terni também tirava os sapatos e a jaqueta para jogar bola no gramado: mas logo tornava a vesti-los se ouvia meu pai chegar.

No jardim, tínhamos uma cerejeira; e Alberto trepava na árvore para comer cerejas; com seus amigos: Frinco, aquele dos livros, figura mal-encarada de pulôver e boné; e os irmãos de Lucio.

Lucio vinha de manhã e ia embora à tardinha: nas estações boas, passava o dia inteiro em nossa casa porque eles não tinham jardim. Lucio era delicadinho, fraco, e à mesa nunca tinha fome: comia um pouco, suspirava e pousava o garfo. — Estou cansado de mastigar — dizia, arrastando o erre, como todos de sua família. Lucio era fascista, e meus irmãos o arreliavam, falando mal de Mussolini. — Não vamos falar de política — dizia Lucio logo que via meus irmãos chegarem. Quando criança tinha uns cachos grossos e negros, arrumados em longas bananas sobre a testa; depois, cortaram-lhe os cabelos, tinha então uma cabeça penteada e lisa, reluzente de brilhantina; e estava sempre vestido como um homenzinho, com paletozinhos justos e gravatinhas-borboleta. Aprendera a ler junto comigo: mas eu tinha lido um monte de livros, e ele poucos, porque lia devagar e se cansava; entretanto, quando estava em nossa casa ele também lia, porque eu, de quando em quando, cansada de brincar, jogava-me no gramado com um livro. Depois, Lucio ia se gabar para meus irmãos de ter lido um livro inteiro, pois sempre zombavam dele por ler pouco. — Hoje li duas liras. — Hoje li cinco liras — dizia satisfeito, mostrando o preço que vinha escrito no frontispício. À tardinha, a empregada, uma tal de Maria Buoninsegni, vinha buscá-lo; uma velhota toda enrugada, com uma raposa sem pelos em volta do pescoço. Essa Maria Buoninsegni era muito devota: e levava-nos, a mim e ao Lucio, à igreja e às procissões. Era amiga do padre Semeria, e vivia falando dele; uma vez, não lembro em que cerimônia religiosa, apresentou-nos ao padre Semeria, o qual nos fez um agrado na cabeça e perguntou-lhe se éramos filhos dela. — Não. Filhos de amigos — respondeu a Maria Buoninsegni.

Nem Lopez, nem Terni gostavam da montanha: e, às vezes, meu pai fazia os passeios e as escaladas com um amigo chamado Galeotti.

Galeotti morava num campo chamado Pozzuolo, com uma irmã e um sobrinho. Minha mãe estivera lá uma vez: e divertira-se muito, falava sempre daqueles dias em Pozzuolo: lá havia frangos e perus, e faziam verdadeiros banquetes. Adele Rasetti, a irmã de Galeotti, passeara muito com minha mãe, dizendo-lhe os nomes das ervas, das plantas e dos insetos; porque naquela família todos eram entomólogos e botânicos. Adele, além disso, dera de presente à minha mãe um quadro de sua autoria, no qual se via um lago alpino; e ficava pendurado em nossa sala de jantar.

De manhã, a Adele levantava cedo, para fazer as contas com o capataz, ou para pintar; ou então, saía caminhando pelos campos para "herborizar", pequena, magra, com o nariz pontudo, com seu chapéu de palha. — Como a Adele é despachada! Levanta cedo, pinta! Vai herborizar! — dizia sempre minha mãe, admirada, ela que não sabia pintar e não distinguia manjericão de chicória. Minha mãe era preguiçosa, e tinha sempre muita admiração pelas pessoas ativas; e cada vez que via Adele Rasetti punha-se a ler manuais de ciências, para também aprender alguma coisa sobre os insetos e sobre botânica: mas depois se enchia e parava por ali.

No verão, Galeotti vinha nos visitar na montanha, com o sobrinho, que era filho da Adele e amigo de meu irmão Gino. Minha avó, de manhã, andava aflita de um lado para o outro do quarto, perguntando-se que vestido pôr. — Vista — dizia minha mãe — aquele cinza de botãozinho. — Não, que esse o Galeotti já viu! — dizia minha avó torcendo as mãos de incerteza.

Galeotti mal reparava em minha avó, estava sempre absorto, conversando com meu pai e combinando passeios e escaladas. De resto, minha avó, apesar da preocupação de poder ser vista por ele "com o vestido de ontem", não suportava o Galeotti, achava-o rude e simples e tinha medo de que levasse meu pai a lugares perigosos.

O sobrinho de Galeotti chamava-se Franco Rasetti. Estudava física: porém, também tinha a mania de catar insetos e minerais; e passara a mania a Gino. Voltavam das caminhadas com torrões de musgo no lenço, escaravelhos mortos e cristais dentro da mochila de montanhismo. À mesa, Franco Rasetti falava sem parar, mas sempre de física, ou de geologia, ou de coleópteros: e, ao falar, empurrava com o dedo todas as migalhas sobre a toalha. Tinha o nariz pontudo e o queixo saliente, uma cor sempre meio esverdeada de lagarto e bigodinhos espetados. — É muito inteligente — dizia dele meu pai. — Porém, é árido! É muito árido! — Franco Rasetti, no entanto, mesmo sendo árido, uma vez tinha escrito um poema, ao voltar com Gino de uma caminhada, enquanto estavam numa casa de roça abandonada, esperando a chuva parar:

Cai a chuva uniforme e devagar

Nos prados verdes e nas pedras pretas.
Vagas formas dissipam-se no ar
Cobertas de leves névoas negras.

Gino não escrevia poemas; e não gostava muito nem de poesia, nem de romances. Mas gostava muito desse poema; e sempre o recitava. Era longo; eu, infelizmente, só me lembro dessa estrofe.

Eu também achava belíssimo o poema das pedras pretas; e morria de inveja por não o ter escrito. Era simples: prados verdes, pedras pretas, eu os tinha visto tantas vezes, na montanha. E não tivera a ideia de que se pudesse fazer alguma coisa com isso: eu os tinha olhado, e só. Então, os poemas eram assim: simples, feitos de nada; feitos das coisas que se olhavam. Olhava à minha volta com olhos atentos: procurava coisas que pudessem assemelhar-se àquelas pedras pretas, àqueles prados verdes, e dessa vez ninguém iria tirar isso de mim.

— Gino e Rasetti caminham bem! — dizia meu pai. — Fizeram a Aiguille Noire de Peteré! Dão para a coisa! Pena que esse Rasetti seja tão árido! Não fala de política, não se interessa. É árido!

— Mas a Adele não, não é árida! — dizia minha mãe. — Como é despachada, levanta cedo, pinta! Gostaria de ser como a Adele!

Galeotti estava sempre alegre, era mais para o baixo, gorducho, e vestia-se de lã cinza felpuda: e tinha bigodes brancos curtos, os cabelos entre brancos e loiros, o rosto bronzeado. Todos nós gostávamos muito dele. Mas eu, dele, só lembro isso.

Um dia, Terni e minha mãe estavam de pé no vestíbulo: e minha mãe chorava. Disseram que Galeotti tinha morrido.

As palavras "Galeotti morreu" ficaram para sempre em mim. Até então, desde que viera ao mundo, ninguém que conhecêssemos tão bem tinha morrido. A morte ficou, em meu pensamento, indissoluvelmente ligada àquela forma vestida de lã cinza, alegre, e que sempre, no verão, vinha nos visitar na montanha.

Galeotti tinha morrido de repente, de uma pneumonia.

Muitos anos mais tarde, depois de descobrirem a penicilina, meu pai sempre dizia:

— Se existisse a penicilina no tempo do finado Galeotti, não teria morrido. Morreu de uma pneumonia de estreptococo. É curável com a penicilina.

Meu pai, quando morria uma pessoa, acrescentava imediatamente a seu nome a palavra "finado"; e ficava bravo com minha mãe que não fazia o mesmo. Esse do "finado" era um hábito muito respeitado na família de meu pai: minha avó, referindo-se a uma irmã falecida, dizia invariavelmente a "finada Regina" e não a evocava de outro modo.

Galeotti, portanto, tornou-se "o finado Galeotti" já uma hora depois de morrer. Deram a notícia de sua morte à minha avó com grande cuidado, porque ela, tendo sempre muito medo de morrer, não gostava absolutamente de que a morte rondasse suas paragens, entre as pessoas que conhecia.

Meu pai, depois da morte de Galeotti, dizia não sentir mais muita alegria em escalar. No entanto, continuava escalando; mas sem o antigo prazer. Ele e minha mãe falavam do tempo em que Galeotti ainda era vivo como de um tempo feliz, alegre, quando eles eram mais moços, quando as montanhas conservavam para meu pai o próprio encanto, quando o fascismo parecia que ia terminar logo.

— Como é amável, como é simpático o Mario! — dizia minha mãe, afagando os cabelos de Mario, que tinha acabado de acordar, e tinha, por causa do sono, os olhos pequenos, quase invisíveis.

— *Il baco del calo del malo* — dizia Mario com um sorriso absorto, acariciando os maxilares. Era seu jeito de anunciar que não estava de tromba e que iria conversar com minha mãe, com minha irmã e comigo.

— Como é amável o Mario, como é bonito! — dizia minha mãe. — Parece o Silvio! Parece o Suess Aja Cawa!

Suess Aja Cawa era um ator de cinema famoso naquele tempo. Minha mãe, quando via na tela os olhos mongóis e os zigomas ossudos de Suess Aja Cawa, exclamava: — É o Mario! Escrito e borrado!

— Você também não acha que o Mario é bonito? — perguntava a meu pai.

— Não o acho tão bonito. O Gino é mais bonito — meu pai respondia.

— Gino também é bonito — dizia então minha mãe. — Como Gino é simpático! O meu Ginetto! Eu só gosto dos meus filhos! Eu só me divirto com os meus filhos!

E quando Gino ou Mario estavam com roupa nova do alfaiate Maccheroni, minha mãe abraçava-os e dizia:

— Quando estão de roupa nova, eu gosto ainda mais de meus filhos.

Em nossa casa, travavam-se acaloradas discussões sobre a beleza e a feiura das pessoas. Discutia-se ainda se uma tal de dona Gilda, governanta em Palermo numa família de amigos nossos, era bonita ou não. Meus irmãos afirmavam que era muitíssimo feia, uma espécie de focinho de cachorro; mas minha mãe dizia que era de uma beleza extraordinária.

— Que nada! — berrava meu pai, com uma daquelas suas risadas trovejantes, que ecoavam pela casa inteira. — Que nada! Bonita, pois sim!

E sempre discutíamos demoradamente se eram mais feios os Colombo ou os Cohen, amigos que no verão encontrávamos na montanha.

— Os Cohen são mais feios! — berrava meu pai. — Querem comparar com os Colombo! Não tem comparação. Os Colombo são menos. Você é cega! Vocês todos são cegos!

De suas várias primas que se chamavam Margherita ou Regina, meu pai costumava dizer que eram muito bonitas. — Regina, quando moça —, começava — era uma mulher muito bonita. — E minha mãe dizia: — Era nada, Beppino. Era uma queixuda!

Esticava o queixo para fora e o lábio inferior, para mostrar que queixada enorme tinha a Regina; e meu pai esbravejava:

— Você não entende nada de belezas e feiuras! Você acha que os Colombo são mais feios que os Cohen!

Gino era sério, estudioso, tranquilo; não batia em nenhum dos irmãos; dava para montanhista. Era o predileto de meu pai. Dele meu pai nunca dizia que era "um burro"; dizia porém que "não dava muita corda". Dar trela, em nossa casa, chamava-se "dar corda". De fato, Gino não dava muita corda, porque estava sempre lendo; e quando falavam com ele, respondia com monossílabos, sem erguer a cabeça do livro. Se Alberto e Mario se batiam, não se mexia e continuava lendo; e minha mãe precisava chamá-lo e sacudi-lo para que viesse apartar os dois. Lendo, comia pão, bem devagarinho, um pãozinho depois do outro; comia mais ou menos um quilo, depois da refeição.

— Gino! — gritava meu pai. — Você não dá corda! Não conta nada! E depois, não coma tanto pão, vai ter uma indigestão!

De fato, Gino sempre tinha indigestão: ficava com a cara vermelha, trombudo, suas orelhas de abano tornavam-se vermelhas como fogo. — Por que o Gino está com essa tromba? — dizia meu pai à minha mãe, acordando-a durante a noite. — Por que o Gino está de lua? Será que andou se metendo em confusão? — Meu pai jamais conseguia distinguir, nos filhos, as trombas das indigestões; e, diante de uma indigestão verdadeira, desconfiava de obscuras histórias de mulheres, de *cocottes*, como dizia ele.

Às vezes, levava Gino nos Lopez, à noite; considerando que era o mais sério, o mais educado, o mais apresentável de seus filhos. Mas Gino tinha o mau hábito de cochilar depois das refeições: e cochilava também lá nos Lopez, numa poltrona, a Frances conversando com ele: seus olhos ficavam pequenos, sua cabeça oscilava suavemente; e logo depois estava dormindo, com um sorriso esmorecido e bem-aventurado, com as mãos no colo.

— Gino! — berrava meu pai —, não durma! Está dormindo!

— Vocês — dizia meu pai — não são pessoas que se possam levar aos lugares!

De um lado havia Gino e Rasetti, com as montanhas, as "pedras pretas", os cristais, os insetos. Do outro havia Mario, minha irmã Paola e Terni, que detestavam a montanha e adoravam ambientes fechados e tépidos, a penumbra, os cafés. Adoravam os quadros de Casorati, o teatro de Pirandello, os poemas de Paul Verlaine, as edições de Gallimard, Proust. Eram dois mundos incomunicáveis.

Eu ainda não sabia se iria escolher um ou outro. Era atraída por ambos. Ainda não tinha decidido se, na minha vida, iria estudar os coleópteros, a química, a botânica; ou se, ao contrário, iria pintar quadros, ou escrever romances. No mundo de Rasetti e de Gino tudo era claro, tudo se desenrolava à luz do sol, tudo era plausível, não havia mistérios ou segredos; e, ao contrário, nas conversas que Terni, Paola e Mario tinham no sofá da sala, havia um não sei quê de misterioso e de impenetrável, que exercia sobre mim um misto de fascínio e de espanto.

— O que tanto o Terni cochicha com Mario e Paola? — dizia meu pai à minha mãe. — Estão sempre aí, cochichando pelos cantos. Que farolagens são essas?

Para meu pai, farolagens eram os segredos; e detestava ver as pessoas conversando absortas e não saber o que diziam.

— Devem estar falando de Proust — dizia-lhe minha mãe.

Minha mãe lera Proust, e ela também, como Terni e Paola, amava Proust; e contou a meu pai que esse Proust era uma pessoa que gostava muito de sua mãe e da avó; e tinha asma, e nunca podia dormir; e como não suportava os ruídos, tinha forrado de cortiça as paredes de seu quarto.

Meu pai disse:

— Devia ser um bronco!

Minha mãe não tinha escolhido nenhum daqueles dois mundos, mas habitava ora num ora noutro, e em ambos com alegria: porque sua curiosidade nunca rejeitava nada, mas alimentava-se de toda espécie de bebida ou de comida.

Meu pai, ao contrário, costumava lançar sobre as coisas novas, que não conhecia, um olhar atravessado e cheio de desconfiança. E os livros que Terni trazia em casa, ele temia que não fossem "apropriados" para nós. — Seria apropriado para a Paola? — perguntava à minha mãe, folheando *La Recherche* e lendo uma frase aqui e ali. — Deve ser uma coisa chata — dizia depois, jogando o livro num canto; e o fato de ser "coisa chata" deixava-o mais tranquilo.

Quanto aos quadros de Casorati, cujas reproduções Terni nos trazia, meu pai não os suportava. — Borrões! Porcarias! — dizia. A pintura, de resto, não lhe interessava absolutamente. Ia, com minha mãe, aos museus de quadros, quando estavam viajando; e concedia aos pintores "antigos", como Goya ou Ticiano, pelo fato de já serem universalmente reconhecidos, celebrados, uma certa legitimidade. Exigia porém que essas visitas aos museus fossem bem rápidas; e não permitia à minha mãe parar diante dos quadros. — Venha, Lidia, vamos! — dizia, arrastando-a; em viagem, estava sempre muito apressado.

De resto, minha mãe também não se interessava muito por pintura: porém, conhecia Casorati pessoalmente, e achava-o simpático. — Que bela cara tem o Casorati — vivia dizendo. Como achasse que ele tinha uma bela cara, aceitava também os seus quadros.

— Estive no ateliê de Casorati — dizia minha irmã ao voltar.

— Como Casorati é simpático! Que bela cara! — dizia minha mãe.

— Que diabos vai a Paola fazer no ateliê de Casorati? — perguntava meu pai, com cara feia e desconfiança. Meu pai sempre temia que nos metêssemos em "confusões", ou seja, que nos víssemos enredados em obscuras tramas amorosas; e via por toda parte ameaças à nossa castidade.

— Nada, foi com Terni. Foram cumprimentar a Nella Marchesini — explicava minha mãe.

O nome de Nella Marchesini, amiga de infância de minha irmã e que meu pai conhecia bem e estimava, era suficiente para tranquilizá-lo. Nella Marchesini estudava pintura com Casorati, e sua presença naquele ateliê era considerada legítima por meu pai. Não teria sido suficiente para tranquilizá-lo, ao contrário, a companhia de Terni, que ele não considerava, no que nos dizia respeito, uma proteção de autoridade.

— Como o Terni desperdiça tempo — observava. — Melhor faria se fosse terminar seu trabalho sobre a patologia dos tecidos. Já faz um ano que o escuto falar disso.

— Sabia que Casorati é antifascista? — dizia minha mãe. Os antifascistas, com o tempo, tornavam-se cada vez mais raros: e meu pai, ao ouvir que existia algum, logo se alegrava.

— Ah, é antifascista? Verdade? — dizia com interesse. — Porém seus quadros não passam de porcarias! É impossível que as pessoas gostem!

Terni era muito amigo de Petrolini: e quando Petrolini veio a Turim para uma série de apresentações, quase todas as noites, Terni tinha ingressos gratuitos para a plateia, que deu de presente a meus irmãos e à minha mãe. — Que maravilha! — dizia minha mãe durante o dia. — Esta noite vamos assistir ao Petrolini de novo! Vamos na plateia. Como eu gosto de ficar na plateia do teatro! Petrolini é tão simpático, tão espirituoso! O Silvio também haveria de gostar muito dele! — Ah, então, esta noite também vai me deixar sozinho — dizia meu pai. Minha mãe lhe dizia: — Venha você também, Beppino. — Que nada! — berrava meu pai. — Imagine se eu vou assistir ao Petrolini! Não ligo a mínima para esse Petrolini! Um palhaço!

— Fomos com Terni cumprimentar Petrolini em seu camarim — dizia minha mãe no dia seguinte. — Mary também foi. São muito amigos de Petrolini.

A presença de Mary, a mulher de Terni, era aos olhos de meu pai uma presença respeitável e tranquilizadora; porque ele nutria por Mary a mais elevada estima e admiração. A presença de Mary servia para conferir uma legitimidade e um decoro a essas noitadas no teatro, e até, quem sabe, um pouco também à figura de Petrolini; que ele, porém, continuava a desprezar, imaginando que, para representar, devesse colocar um nariz falso e oxigenar os cabelos.

— Não entendo por que Mary é tão amiga de Petrolini — dizia com profundo espanto. — Não entendo como é que se diverte tanto assistindo ao Petrolini! Entendo o Terni e vocês, que adoram parvoíces. E como é que eles são tão amigos de Petrolini? Deve ser uma pessoa equívoca!

Para meu pai um ator, e de modo especial um ator cômico, que fazia trejeitos no palco para fazer as pessoas rirem, devia, sem dúvida alguma, ser "uma pessoa equívoca". Minha mãe lembrava-lhe, no entanto, que seu irmão Cesare passara a vida em companhia de atores, e até se casara com uma atriz. Não podiam ser, todas aquelas pessoas que o irmão dele costumava frequentar, não podiam ser sempre "gente equívoca", ainda que entrassem em cena travestidos, ou que tingissem os cabelos e os bigodes. — E Molière? — dizia-lhe minha mãe. — Molière não era ator também? Você nunca iria dizer que era uma pessoa equívoca! — Ah, Molière! — dizia meu pai, que tinha por Molière a maior estima. — Molière é excelente! O finado Cesare era apaixonado por Molière! Mas você não vai querer comparar Molière com Petrolini, não é? — berrava por fim, com uma daquelas risadas trovejantes, que lançavam sobre Petrolini o desprezo mais agudo.

Habitualmente, iam ao teatro minha mãe, Paola e Mario; e, habitualmente, iam com os Terni, os quais, quando não tinham ingressos gratuitos na plateia, como para Petrolini, sempre tinham lugares na galeria e os convidavam; por isso meu pai não podia dizer: — Não quero que joguem dinheiro fora com teatro —; além disso, via com benevolência o fato de minha mãe e Mary passarem uma noitada juntas. — Está sempre indo se divertir — dizia, porém, à minha mãe, — Deixa-me sempre sozinho. — Mas à noite você fica sempre trancado lá no seu escritório — dizia minha mãe. — Não me dá corda. Não me faz companhia. — Que burra! — dizia meu pai. — Sabe que tenho coisas para fazer. Não tenho tempo a perder com vocês. E depois, não me casei com você para lhe fazer companhia!

Meu pai, à noite, trabalhava em seu escritório: ou seja, revisava as provas de seus livros e colava nelas certas ilustrações. No entanto, às vezes lia romances.

— É bom esse romance, Beppino? — perguntava minha mãe. — Que nada! Uma chatice! Uma parvoíce! — respondia, dando de ombros. Lia, porém, com a mais viva atenção; e enquanto isso fumava o cachimbo, e sacudia a cinza da página. Quando voltava de alguma viagem, sempre trazia consigo romances policiais, comprados nas bancas das estações; e terminava de lê-los em seu escritório, de noite. Habitualmente, eram em inglês ou alemão: parecendo-lhe talvez menos frívolo ler esses romances numa língua estrangeira. — Uma parvoíce — dizia, dando de ombros; e, no entanto, lia até a última linha. Mais tarde, quando começaram a sair os romances de Simenon, meu pai tornou-se leitor assíduo de sua obra. — Nada mau o Simenon — dizia. — Descreve bem a província francesa. Aquele ambiente de província é muito bem descrito! — Mas nessa época, no tempo da Via Pastrengo, os romances de Simenon ainda não existiam; e os livros que meu pai trazia de suas viagens eram uns livrinhos brilhantes, com figuras de mulheres degoladas na capa. Ao dar com eles nos bolsos de seu sobretudo, minha mãe dizia: — Olhe só que parvoíces o Beppino anda lendo!

Terni criara uma conivência entre Paola e Mario que perdurava mesmo quando ele ia embora. Era uma conivência dedicada à insígnia da melancolia, pelo que eu podia entender. Ao pôr do sol, Paola e Mario davam passeios melancólicos, os dois juntos ou cada um por sua conta, em recolhida solidão; e liam juntos poemas tristes, murmurando-os num sussurro dolente.

Quanto a Terni, se bem me lembro, não era absolutamente uma pessoa tão melancólica: ele não se sentia especialmente atraído pelos lugares abandonados e silenciosos, nem dava passeios melancólicos e solitários. Terni vivia de modo perfeitamente normal: em sua casa, com a mulher, Mary, a babá Assunta, e os filhos Cucco e Lullina, que ele e a mulher mimavam, e diante dos quais ambos costumavam ficar em êxtase. Mas Terni trouxera para nossa casa o gosto pela melancolia, pelos comportamentos melancólicos, assim como trouxera a *Nouvelle Revue Française* e as reproduções de Casorati. Paola e Mario tinham aceitado aquele convite: não Gino, de quem Terni não gostava e que, por sua vez, não gostava nem um pouco de Terni; não Alberto, que não queria nem saber de poesia e de pintura e depois da "Velha tiazinha que não tinha tetinha" nunca mais fizera poemas, e pensava somente em jogar futebol; e não eu, que não me interessava muito por Terni e só via nele o pai do Cucco, menino com o qual eu às vezes brincava.

Paola e Mario, perdidos em sua melancolia, demonstravam uma profunda intolerância em relação ao despotismo de meu pai e aos costumes de nossa casa, muito simples e austeros: pareciam sentir-se exilados em nossa casa, sonhando com uma casa bem diferente, e hábitos também diferentes. A intolerância deles traduzia-se em imensas trombas e luas, olhares mortiços e rostos impenetráveis, respostas monossilábicas, raivosas batidas de portas que faziam a casa tremer, e categóricas recusas em ir à montanha no sábado e no domingo. Logo que meu pai saía da sala, eles se tranquilizavam, porque a intolerância deles não incluía minha mãe, mas era devotada apenas a meu pai; escutavam as histórias de minha mãe, e declamavam em voz alta com ela o poema da inundação:

Há muitos dias que todos tremiam ali!

Mario gostaria de ter estudado direito, e meu pai, ao contrário, obrigara-o a matricular-se em economia e comércio, considerando, não sei por quê, a faculdade de direito uma faculdade pouco séria e sem futuro seguro. Mario nutriu por ele, durante anos, um rancor mudo. Quanto a Paola, geralmente estava insatisfeita com a vida que levava e gostaria de ter mais roupas; e não gostava das roupas que tinha, achando que eram masculinas e de corte pesado: porque meu pai queria que todos nos vestíssemos com o alfaiate Maccheroni, alfaiate de homem, onde se gastava pouco: ou, pelo menos, ele tinha enfiado na cabeça que lá gastava-se pouco. Minha mãe tinha também uma costureira, a Alice, a quem por vezes recorria: mas minha mãe dizia que não era boa. — Como eu gostaria de ter um belo vestido de seda pura! — dizia minha irmã à minha mãe, quando ficavam de prosa na sala de visitas; e minha mãe dizia: — Eu também! — e folheavam revistas de moda; — Gostaria — dizia minha mãe — de uma linda *princesse** de seda pura! — e minha irmã dizia: — Eu também! — Mas não podiam comprar a seda pura porque nunca havia dinheiro; e depois também, não sabendo cortar, a costureira Alice iria estragar a seda.

Paola gostaria de cortar os cabelos, usar salto alto e não os sapatos masculinos e pesados que o "senhor Castagneri" fazia; ir dançar na casa de suas amigas, e jogar tênis. Nada disso lhe era permitido. Ao contrário, era-lhe quase imposto ir aos sábados e domingos à montanha com Gino e meu pai. Paola achava o Gino um chato, Rasetti outro chato, os amigos de Gino em geral todos muito chatos, e a montanha insuportável. Entretanto, esquiava muito bem, sem estilo, diziam, mas com grande resistência física e com grande coragem, e atirava-se nas descidas com o ímpeto de uma leoa. A julgar pelo ímpeto e pelo furor com que se atirava nas descidas, sou levada a crer que se divertia esquiando, e tirava disso o mais vivo prazer: mas ostentava pela montanha um profundo desprezo; dizia odiar os sapatos com pregos, as meias compridas de lã e as minúsculas sardas que apareciam ao sol em seu narizinho delicado; e para fazer desaparecer as minúsculas sardas, depois de ter estado na montanha, costumava

---

* Traje feminino, peça única de corte reto, sem costura na cintura.

passar pó de arroz branco no rosto. Gostaria de ter pouca saúde, um aspecto frágil, e o rosto de uma palidez lunar, como os rostos das mulheres nos quadros de Casorati; e ficava aborrecida quando lhe diziam que era "fresca como uma rosa". Ao vê-la com o rosto branco e sem desconfiar que ela usava pó de arroz, meu pai dizia que estava anêmica e dava-lhe ferro para tomar.

Meu pai, acordando durante a noite, dizia à minha mãe:

— Que lua têm o Mario e a Paola. Eles estão combinados, aqueles dois. Acho que o parvo do Terni colocou-os contra mim.

O que Terni, Paola e Mario cochichavam naquele sofá da sala de visitas, eu não sabia, e até agora continuo sem saber; mas às vezes falavam realmente de Proust. Então, minha mãe também se metia na conversa deles. — *La petite phrase!** — dizia minha mãe. — Como é bonito quando falam sobre a *petite phrase*! Como o Silvio haveria de gostar disso, também! — Terni tirava o monóculo e limpava-o no lenço, à maneira de Swann; e fazia "Ssst! ssst!" — Que coisa grandiosa! Que coisa linda! — Terni dizia sempre; e todos os dias Paola e minha mãe imitavam-no.

— Vanilóquio! — dizia meu pai, apanhando algumas palavras ao passar. — Estou cansado do vanilóquio de vocês! — continuava, dirigindo-se ao seu escritório; e quando estava lá, berrava: — Terni! Você ainda não terminou seu trabalho sobre a patologia dos tecidos! Perde muito tempo com parvoíces! Você é preguiçoso, não trabalha o suficiente. É um grande preguiçoso!

Paola andava apaixonada por um colega da universidade: moço miúdo, delicado, gentil, de voz persuasiva. Passeavam juntos à beira do Pó e nos jardins do Valentino; e falavam de Proust, sendo o jovem um proustiano fervoroso: aliás, fora o primeiro a escrever sobre Proust na Itália. Esse moço escrevia contos e ensaios de crítica literária. Acho que Paola se apaixonara por-

---

* Em francês: "A pequena frase".

que ele era o oposto exato de meu pai: tão miúdo, tão gentil, de voz tão suave e persuasiva; não sabia nada sobre a patologia dos tecidos, e nunca pusera os pés numa pista de esqui. Meu pai tomou conhecimento desses passeios, e enfureceu-se: antes de tudo porque suas filhas não deviam passear com homens; e depois porque um literato, um crítico, um escritor, representava para ele algo de desprezível, de frívolo, e até de equívoco: era um mundo que lhe causava repulsa. Paola, no entanto, continuou com seus passeios assim mesmo, apesar da proibição de meu pai; e às vezes os Lopez, ou outros amigos de meus pais, encontravam-se com ela e contavam a meu pai, sabendo de sua proibição. Quanto a Terni, se a encontrava, certamente não ia dizer a meu pai, porque Paola fizera-lhe confidências, no sofá, em cochichos secretos.

Meu pai berrava para minha mãe: — Não a deixe sair! Deve proibi-la de sair! — Minha mãe também não andava satisfeita com aqueles passeios, e ela também desconfiava do moço: porque meu pai a contagiara com uma repulsa confusa, obscura, pelo mundo dos literatos, mundo desconhecido em nossa casa, visto que lá só entravam biólogos, cientistas ou engenheiros. Além disso, minha mãe era muito ligada a Paola: e antes que a Paola começasse aquela história com o moço, costumavam passear demoradamente as duas juntas pela cidade, e olhar nas vitrines "os vestidos de seda pura", que nem uma nem outra podiam comprar. Agora, raramente Paola estava livre para sair com minha mãe; e quando estava livre, e saíam conversando de braços dados, acabavam falando também do moço, e voltavam para casa bravas uma com a outra: porque minha mãe não concedia ao moço, que de resto mal conhecia, toda a simpatia e a cordialidade que Paola exigia. Mas minha mãe era totalmente incapaz de proibir a qualquer um o que quer que fosse. — Você não tem autoridade! — berrava meu pai, acordando-a durante a noite; e, por outro lado, ele mesmo demonstrara não ter muita autoridade, pois a Paola continuou passeando anos seguidos com o moço miúdo; e parou quando a coisa foi-se apagando sozinha, aos poucos, como se apaga a chama de uma vela; e não por vontade de meu pai, mas à revelia de seus berros e proibições.

    As fúrias de meu pai explodiam não só sobre Paola e o moço miúdo, mas também em cima de meu irmão Alberto, que, em vez de fazer as tarefas, ia sempre jogar futebol. Meu pai, dos esportes, só admitia a montanha. Os demais esportes pareciam-lhe mundanos e frívolos, como o tênis, ou chatos e idiotas, como a natação, visto que ele odiava o mar, as praias e a areia; quanto ao futebol, considerava-o um jogo de meninos de rua, e nem sequer o incluía entre os esportes. Gino ia bem nos estudos, e Mario também; Paola não estudava, mas meu pai não ligava: era mulher, e ele tinha a ideia de que as mulheres, ainda que não tenham lá muita vontade de estudar, não faz mal, porque depois se casam; desse modo, sequer sabia que eu não aprendia aritmética: somente minha mãe afligia-se com isso, tendo que me ensinar. Alberto realmente não estudava; e meu pai, mal acostumado pelos outros filhos homens, quando ele lhe trazia a caderneta escolar com notas ruins ou era suspenso da escola por indisciplina, era tomado de uma cólera assustadora. Meu pai preocupava-se com o futuro de todos os seus filhos homens e, acordando durante a noite, dizia à minha mãe: — O que o Gino irá fazer? O que o Mario irá fazer? — Mas em relação a Alberto, que ainda estava no ginásio, meu pai não se preocupava, entrava direto em pânico. — Aquele safado do Alberto! Aquele sem-vergonha do Alberto! — Nem sequer dizia "aquele burro do Alberto", porque Alberto era mais que um burro: suas faltas, para meu pai, eram inauditas, monstruosas. Alberto passava os dias ou nos campos de futebol, de onde voltava sujo, às vezes com os joelhos ou a cabeça ensanguentados e enfaixados; ou perambulando com os amigos; e chegava sempre tarde para o almoço. Meu pai sentava-se à mesa e punha-se a bater o copo, o garfo, o pão; e não sabíamos se estava implicando com Mussolini ou com Alberto, que ainda não tinha voltado. — Safado! Sem-vergonha! — dizia, enquanto a Natalina entrava com a sopa; e sua cólera ia aumentando no decorrer do almoço. Na hora das frutas, Alberto chegava, fresco, róseo, sorridente. Alberto nunca ficava de lua e andava sempre alegre. — Safado! — trovejava meu pai. — Por onde você andou? — Na escola — dizia Alberto com sua voz leve e fresca —, depois fui acompanhar um amigo meu. — Um amigo seu! Você não passa de um safado! Já passa do "toque"! — Para meu pai, uma hora era "o toque", e o fato de Alberto chegar "depois do toque" parecia-lhe uma coisa inaudita.

 Minha mãe também se queixava de Alberto. — Está sempre sujo! — dizia. — Anda pela rua parecendo um vadio! Não para de me pedir dinheiro! Não estuda!

 — Vou dar um pulo na casa do meu amigo Pajetta. — Vou dar um pulo na casa do meu amigo Pestelli. — Mãe, você não me daria duas liras, por favor? — Essas eram as palavras que Alberto dizia em casa, e não dizia muitas mais; não porque não fosse comunicativo, era, aliás, o mais comunicativo de nós, expansivo e alegre; só que nunca estava em casa. — Sempre com Pajetta! Com Pajetta! Com Pajetta! — dizia minha mãe, imprimindo ao nome uma velocidade furiosa especial, talvez para indicar a velocidade com que Alberto fugia. Duas liras, mesmo naquele tempo, eram uma quantia pequena; mas Alberto pedia duas liras muitas vezes ao dia. Minha mãe, suspirando, abria com as chaves a gaveta de sua cômoda. Para Alberto o dinheiro nunca era suficiente. Pegou a mania de vender os livros de casa, de modo que, aos poucos, nossas estantes iam se esvaziando; e de vez em quando acontecia de meu pai procurar um livro e não o encontrar; e minha mãe, para que não ficasse bravo, dizia que o emprestara à

Frances, mas sabia-se que tinham ido parar numa banca de livros usados. Às vezes, Alberto levava até a prataria da casa ao Montepio; e minha mãe, não encontrando um bule, punha-se a chorar.
— Olhe só o que Alberto me fez! — dizia a Paola. — Olhe só o que Alberto me fez! Mas não posso contar ao papai, senão vai dar-lhe uma bronca! — E tinha tamanho medo das cóleras de meu pai que procurava os recibos do Montepio nas gavetas de Alberto e mandava a Rina tirar seus bules do penhor, em segredo, sem contar a meu pai.

Alberto não era mais amigo de Frinco, desaparecido na noite dos tempos com seus livros de terror, e tampouco dos filhos da Frances. Agora, Alberto tinha Pajetta e Pestelli, colegas de escola, que, porém, eram estudiosos; minha mãe vivia dizendo que Alberto arranjava amigos melhores do que ele. — Pestelli — minha mãe explicava a meu pai — é um excelente rapaz. É de uma família muito distinta. O pai dele é o Pestelli que escreve no *Stampa*. E a mãe é a Carola Prosperi — dizia lisonjeada e, também, para deixar Alberto bem aos olhos de meu pai; Carola Prosperi, escritora de que minha mãe gostava, não lhe parecia que pudesse ser incluída no mundo suspeito dos literatos, pois também escrevia livros para crianças; e seus romances, os para adultos, eram, dizia sempre minha mãe, "muito bem escritos". Meu pai, que nunca lera os livros de Carola Prosperi, dava de ombros.

Quanto a Pajetta, quando ainda era um ginasiano de calças curtas, foi detido por divulgar, nos bancos escolares, panfletos contra o fascismo; e Alberto, que era um de seus amigos mais íntimos, foi chamado à delegacia e interrogado. Pajetta foi preso num reformatório de menores; e minha mãe, lisonjeada, disse a meu pai:

— Eu não lhe dizia, Beppino? Veja como Alberto sempre escolhe bem os seus amigos. São sempre melhores e mais sérios do que ele.

Meu pai deu de ombros. Porém, ele também estava lisonjeado com o fato de Alberto ter sido interrogado na delegacia; e por alguns dias absteve-se de chamá-lo de safado.

— Um vadio! — dizia minha mãe, quando Alberto voltava do futebol, imundo, com os cabelos loiros cheios de lama, com as roupas rasgadas. — Um vadio!

— Fuma e joga a cinza no chão! — queixava-se minha mãe com suas amigas. — Deita na cama com os sapatos e me suja a colcha. Vive pedindo dinheiro, feito um saco sem fundo!

— De criança era tão bonzinho! — queixava-se. — Era tão terno, manso! Era um carneirinho! Eu o vestia todo de renda, tinha aqueles cachinhos lindos! Agora, veja como ficou!

Os amigos de Alberto e de Mario raramente apareciam em nossa casa; Gino, por sua vez, sempre trazia seus amigos para casa, à tardinha.

Meu pai convidava-os a ficar para o jantar. Meu pai estava sempre pronto a convidar as pessoas para o almoço ou para o jantar; e às vezes não havia muita comida. Sempre tinha medo, ao contrário, de que nós "filássemos boia" na casa dos outros. — Você foi filar boia na Frances! Não gosto disso! — E se algum de nós era convidado a jantar por alguém, e no dia seguinte dizia que esse alguém era chato ou antipático, meu pai logo protestava: — Antipático! Mas bem que você foi filar a boia dele!

Nossos jantares, habitualmente, consistiam numa sopinha de Liebig, de que minha mãe gostava muito, e que a Natalina sempre exagerava no caldo; e uma omelete. Os amigos de Gino, então, dividiam conosco esses jantares, sempre idênticos; depois ouviam, ao redor da mesa, as histórias e as canções de minha mãe. Entre esses amigos havia um chamado Adriano Olivetti; e eu me lembro da primeira vez que entrou em nossa casa, vestido de soldado, porque naquela época fazia o serviço militar; Gino também estava fazendo o serviço militar, e ocupavam, ele e Adriano, o mesmo dormitório no quartel. Nessa época, Adriano tinha uma barba descuidada e crespa, de uma cor fulva; tinha longos cabelos loiro-fulvos, que cacheavam na nuca, e era gordo e pálido. A farda militar caía-lhe mal nos ombros, que eram cheios e roliços; e nunca vi uma pessoa, de farda cinza esverdeada e com revólver no cinto, mais desajeitada e menos marcial do que ele. Tinha um aspecto muito melancólico, talvez porque não gostasse absolutamente de servir como soldado; era tímido e silencioso; mas, quando falava, então falava demoradamente e em voz muito baixa, e dizia coisas confusas e obscuras, com os pequenos olhos azuis, que eram ao mesmo tempo frios e sonhadores, perdidos no vazio. Adriano, nessa época, parecia a encarnação daquilo que meu pai costumava definir "um emplastro"; e, no entanto, nunca meu pai disse que ele era um emplastro, nem um estabanado, nem um negro: jamais lhe endereçou qualquer uma dessas palavras. Pergunto-me por quê: e acho que meu pai tinha uma percepção psicológica maior do que supúnhamos, e entreviu, nas vestes daquele moço desleixado, a imagem do homem que Adriano devia se tornar mais tarde. Mas talvez não o tenha chamado de emplastro só porque sabia que era montanhista; e porque Gino lhe dissera que era antifascista, e que era filho de um socialista, também ele amigo de Turati.

Os Olivetti possuíam, em Ivrea, uma fábrica de máquinas de escrever. Até então, nós jamais tínhamos conhecido industriais: o único industrial de que se falava em nossa casa era um irmão de Lopez chamado Mauro, que morava na Argentina e era muito rico; e meu pai fazia projetos de mandar Gino trabalhar com Mauro em sua empresa. Os Olivetti eram os primeiros industriais que víamos de perto; e eu ficava impressionada com a ideia de que aqueles cartazes de propaganda que via na rua, e que representavam uma máquina de escrever correndo sobre os trilhos de um trem, estivessem intimamente ligados a esse Adriano, de farda cinza esverdeada, que à noite costumava tomar conosco nossas insípidas sopinhas.

Terminado o serviço militar, Adriano continuou vindo à nossa casa à noite; e tornou-se ainda mais melancólico, mais tímido e mais silencioso, porque tinha se apaixonado por minha irmã Paola, que na época não lhe dava atenção. Adriano tinha automóvel; era, entre as pessoas que conhecíamos, o único a ter automóvel; numa época em que nem mesmo o Terni, que também era muito rico, tinha um. Adriano, quando meu pai precisava sair, oferecia-se imediatamente para levá-lo de automóvel, e meu pai se enfurecia: por detestar automóveis e, como sempre dizia, por detestar gentilezas.

Adriano tinha muitos irmãos e irmãs, todos sardentos e de cabelos ruivos: e meu pai, que era igualmente ruivo e sardento, quem sabe também por isso simpatizasse com ele. Sabia-se que eram muito ricos, mas, no entanto, tinham hábitos simples, vestiam-se modestamente e iam à montanha com esquis velhos, como a gente. Porém, tinham vários automóveis e ofereciam-se a todo instante para levar-nos a um lugar ou outro; e quando andavam de automóvel pela cidade, e viam um velho caminhando com um passo meio cansado, paravam e convidavam-no a subir; e minha mãe não parava de dizer que eram bons e gentis.

Acabamos conhecendo o pai deles também, que era baixo, gordo e com uma enorme barba branca: e tinha, em meio à barba, um rosto bonito, delicado e nobre, iluminado pelos olhos azuis. Ao falar, costumava entreter-se com sua barba e com os botões de seu colete: e tinha uma voz baixa em falsete, ardida e infantil. Meu pai, talvez por causa daquela barba branca, chamava-o sempre de "velho Olivetti"; mas tinham, ele e meu pai, mais ou menos a mesma idade. Tinham em comum o socialismo e a amizade com Turati; e davam-se com respeito recíproco e estima. Entretanto, quando se encontravam, queriam ambos falar sempre ao mesmo tempo; e gritavam, um alto e o outro baixo, um com voz em falsete e o outro com voz de trovão. Nas falas do velho Olivetti misturavam-se a Bíblia, a psicanálise e as palavras dos profetas: coisas que não entravam absolutamente no mundo de meu pai, e sobre as quais, no fundo, ele não tinha nenhuma opinião especial formada. Meu pai achava que o velho Olivetti era muito engenhoso, mas tinha ideias muito confusas.

Em Ivrea, os Olivetti moravam numa casa chamada O Convento, porque no passado fora um convento de frades; e tinham bosques e vinhas, vacas, e um curral. Tendo aquelas vacas, todos os dias faziam doces com nata: e para nós a vontade de nata vinha desde o tempo em que, na montanha, meu pai nos proibia de comê-la nos chalés. Costumava proibi-la, entre outros motivos, por medo da febre maltesa. Lá na casa dos Olivetti, que tinham aquelas vacas, o perigo da febre maltesa não existia. Desse modo, na casa deles a gente se fartava de comer nata. Entretanto, meu pai nos dizia: — Não devem aceitar sempre os convites dos Olivetti! Não devem filar boia! — Tínhamos por isso tamanho trauma de estar filando que uma vez Gino e Paola, convidados a passar o dia em Ivrea, apesar das insistências dos Olivetti, recusaram-se a ficar para o jantar e também a serem levados de automóvel, e fugiram em jejum, indo esperar o trem em plena noite. Outra vez, aconteceu de eu precisar fazer uma viagem de automóvel com os Olivetti, e paramos num restaurante para o almoço: enquanto todos eles pediam talharim e bife, eu pedi só um ovo quente para mim, e depois disse à minha irmã que pedira só um ovo "porque não queria que o engenheiro Olivetti gastasse demais". Isso foi contado ao velho engenheiro, que se divertiu muito com a coisa, e costumava rir dela com frequência: e em seu riso havia toda a alegria de ser muito rico, de saber disso, e descobrir que ainda existia alguém que não sabia.

Quando Gino terminou o Politécnico tinha diante de si duas possibilidades. Ir trabalhar com o tal Mauro, que tinha a empresa na Argentina, e que nós chamávamos familiarmente de "tio Mauro", imitando os filhos dos Lopez; meu pai, há meses, vinha mantendo assídua correspondência com o tio Mauro, na qual tratava do futuro de Gino. Ou então ir trabalhar em Ivrea, na fábrica do engenheiro Olivetti. Gino escolheu esta última solução.

Gino, então, deixou nossa casa e foi morar em Ivrea; e alguns meses mais tarde anunciou a meu pai ter conhecido lá uma moça e ter ficado noivo. Meu pai foi tomado por uma cólera assustadora. Meu pai, toda vez que um de nós lhe anunciou que estava prestes a se casar, sempre foi tomado por uma cólera assustadora, fosse quem fosse a pessoa escolhida. Sempre achava um pretexto. Ou dizia que a pessoa escolhida por nós era fraca de saúde, ou dizia que não tinha dinheiro, ou dizia que tinha demais. Toda vez meu pai nos proibiu de casar; sem obter nada, pois nos casamos assim mesmo.

Nessa época, Gino foi mandado à Alemanha para estudar alemão e para esquecer. Minha mãe recomendou-lhe que fosse visitar a Grassi, em Friburgo. A Grassi era uma amiga de infância de minha mãe, e era aquela que dizia "Toda de lã, Lidia!" e "As violetas, Lidia!". A Grassi conhecera em Florença um livreiro de Friburgo e casara-se com ele; ele lia Heine para ela, e ensinara-lhe a amar as violetas; ensinara-lhe também a amar os tecidos "todos de lã", levando-a para a Alemanha após a Primeira Guerra de 1914; pois a lã pura, depois da guerra, era impossível de ser encontrada na Alemanha.

O livreiro, voltando a Friburgo depois da guerra, exclamara:

— Não reconheço mais a minha Alemanha!

Frase que ficou famosa em nossa casa, e que minha mãe costumava declamar toda vez que lhe acontecia de não reconhecer algo ou alguém.

Naquele verão, da montanha, meu pai manteve uma longa correspondência tanto com Gino, na Alemanha, como com os Lopez, os Terni, e com o engenheiro Olivetti, sempre a propósito desse casamento; aos Terni, aos Lopez, ao engenheiro Olivetti, meu pai escrevia que precisavam dissuadir Gino de se casar, aos vinte e cinco anos e ainda sem uma carreira encaminhada.

— Será que ele viu a Grassi? — dizia minha mãe de vez em quando, naquele verão, pensando em Gino; meu pai esbravejava: — A Grassi! Estou pouco me lixando se ele viu a Grassi ou não! Até parece que na Alemanha só existe a Grassi! Não quero absolutamente que Gino se case!

Gino, entretanto, casou-se ao voltar da Alemanha, como declarara que faria; e meu pai e minha mãe foram ao casamento. Porém meu pai, acordando durante a noite, ainda dizia:

— Se o tivesse mandado para a Argentina, no Mauro, ao invés de mandá-lo para Ivrea! Vai-se saber, talvez na Argentina não tivesse se casado!

Tínhamos mudado de casa; e minha mãe, que sempre se queixara da casa da Via Pastrengo, agora se queixava da nova casa. A nova casa ficava na Via Pallamaglio. — Que nome horrível! — vivia dizendo minha mãe. — Que rua horrível! Detesto essas ruas, Via Campana, Via Saluzzo! E na Via Pastrengo, pelo menos, tínhamos o jardim!

A nova casa ficava no último andar e dava para uma praça, onde havia uma igreja feia e grande, uma fábrica de tintas e um estabelecimento de banhos públicos; para minha mãe nada parecia mais miserável que ver, pelas janelas, homens entrando nos banhos públicos com uma toalha debaixo do braço. Meu pai comprara essa casa sem mais, porque dizia que estava barata e que não era bonita, mas tinha vantagens, ficava muito perto da estação e era grande, com muitos cômodos.

Minha mãe disse:

— O que adianta morar perto da estação se a gente nunca pega o trem?

Alguma coisa devia ter melhorado em nossas condições econômicas, porque se falava um pouco menos de dinheiro; os Imobiliários, segundo meu pai, continuavam caindo, e a essa altura deviam ter sido tragados pelas profundezas da terra, eu pensava; entretanto, minha mãe e minha irmã andavam fazendo mais vestidos. Agora, nós também tínhamos telefone, como os Lopez. As palavras carestia e custo de vida elevado não eram mais pronunciadas. Gino morava com a mulher em Ivrea; Mario tinha um emprego em Gênova e só vinha para casa no sábado.

Alberto, depois de muitas incertezas e discussões, fora posto no colégio. Meu pai esperava que se desse mal ali, se arrependesse e caísse em si com aquele severo castigo; minha mãe, ao contrário, dizia-lhe: — Vai ver como passará bem! Vai ver como você se divertirá! Vai ver como a gente passa bem num colégio! Eu, no meu colégio, como era bom, como me diverti lá!

Alberto foi para o colégio contentíssimo, como sempre. Contava, quando vinha para casa nas férias, que nesse colégio, quando estavam à mesa, comendo omelete, de repente ouvia-se tocar uma campainha, entrava o diretor e dizia: — Aviso que não se corta omelete com faca. — Depois, a campainha tocava de novo, e o diretor desaparecia.

Meu pai não ia mais esquiar: dizia que se tornara velho demais. Minha mãe sempre dissera: — Diacho de montanha! — Ela que não sabia esquiar e ficava em casa; mas agora incomodava-a que meu pai não esquiasse mais.

Anna Kulichov morrera. Fazia muitos anos que minha mãe não a via; mas ficava satisfeita de saber que estava viva. Foi a Milão para os funerais, com sua amiga Paola Carrara, que também, desde menina, frequentava a casa da Kulichov. Trouxe de lá um livro tarjado de preto, onde havia escritos em memória da Kulichov e retratos dela.

Desse modo, minha mãe reviu Milão, depois de muitos anos: mas não tinha mais ninguém em Milão. Seus parentes todos já tinham morrido. Achou a cidade mudada, feia. Disse:

— Não reconheço mais a minha Alemanha!

Os Terni deviam mudar de Turim. Iam morar em Florença. Primeiro partiu Mary com as crianças; Terni permaneceu por alguns meses ainda. — Que pena que vocês vão embora de Turim! — dizia minha mãe a Terni. — Que pena que Mary foi embora! E não verei mais as crianças. Lembra-se do jardim da Via Pastrengo, quando jogava bola com o Cucco? E vinham os amigos de Gino, e brincava-se de *passos*? Era bom! — Os *passos* eram um jogo que se brincava assim: um ficava contra uma árvore, de cara para o tronco, e virava-se de repente; e os outros deviam dar passos, quando o primeiro não estava vendo.

— Não gosto desta casa! — dizia minha mãe. — Não gosto da Via Pallamaglio! Gostava de ter um jardim!

A tristeza, porém, acabava logo. Levantava-se, de manhã, cantando, e ia ordenar as compras do dia; depois pegava o bonde número sete. Ia de bonde até o fim da linha, e voltava sem descer.

— Como é bom andar de bonde! — dizia. — É melhor que andar de automóvel!

— Venha você também — dizia-me de manhã —, vamos a Pozzo Strada!

Pozzo Strada era o fim da linha do número sete. Via-se lá um largo, com o quiosque de um sorveteiro; e as últimas casas da periferia. Ao longe, campos de trigo e de papoulas.

Depois do almoço, lia o jornal deitada no sofá. Dizia-me:
— Se ficar boazinha, levo você ao cinema. Vamos ver se tem um filme "apropriado" para você. — Porém, era ela quem tinha vontade de ir ao cinema: e, de fato, ia de qualquer jeito, sozinha ou acompanhada de suas amigas, mesmo que eu tivesse que estudar.

Voltava correndo, pois meu pai chegava às sete e meia do laboratório e gostava de encontrá-la em casa ao chegar. Se não a encontrava, punha-se a esperá-la na sacada. Minha mãe chegava sem fôlego, com o chapéu na mão.

— Por onde diabos você andou? — berrava meu pai. — Estava ficando preocupado! Aposto que foi ao cinema hoje também! Você passa a vida no cinema!

— Escreveu para Mary? — perguntava. Agora que Mary fora morar em Florença, chegavam cartas suas de vez em quando; e minha mãe nunca se lembrava de respondê-las. Gostava muito dela: mas nunca tinha vontade de escrever cartas. Não as escrevia nem sequer para os filhos.

— Escreveu para o Gino? — meu pai ralhava com ela. — Escreva para o Gino! Ai de você se não escrever para o Gino!

Eu adoeci, e passei o inverno inteiro doente. Estava com uma otite; depois tive uma mastoidite. Meu pai, nos primeiros dias da minha doença, era quem tratava de mim.

Tinha, em seu escritório, um armarinho, que chamava de "farmácia", e ali guardava os poucos remédios e instrumentos que usava para tratar dos filhos, ou dos amigos, e dos filhos dos amigos; eram os seguintes: para os machucados, tintura de iodo; para a dor de garganta, azul de metileno; para os unheiros, o *bir*. O *bir* era um cordão de borracha, que se devia amarrar forte no dedo doente, até o dedo ficar azulado.

Porém, o *bir* nunca estava na "farmácia" quando se precisava dele; e meu pai saía berrando pela casa:

— Cadê o *bir*? Onde puseram o *bir*?

Dizia: — Como vocês são desordeiros! Nunca vi gente tão desordeira como vocês!

O *bir*, geralmente, estava na gaveta de sua escrivaninha.

Porém, ficava bravo se alguém lhe pedia um conselho sobre a própria saúde. Dizia, ofendido:

— E quem disse que eu sou médico!

Queria tratar das pessoas, desde que não pedissem para serem tratadas.

Um dia, à mesa, dizia: — O parvo do Terni está gripado. Enfiou-se na cama. Ufa, não deve ser nada. Preciso ir visitá-lo.

— Como o Terni é exagerado! — dizia à noite. — Não tem nada! Está acamado, com roupa de lã! Eu nunca uso roupa de lã!

— Estou preocupado com o Terni — dizia alguns dias mais tarde. — Sua febre não vai embora. Tenho medo de que sofra um derrame pleural. Quero que Stroppeni o examine.

— Está com derrame pleural! — berrava ao voltar para casa de noite, procurando minha mãe por todos os cômodos. — Lidia, sabe, o Terni está com um derrame pleural!

Levava ao leito de Terni Stroppeni todos os médicos que conhecia.

— Não fume! — berrava com Terni, que já estava curado e tomava sol na varanda de sua casa. — Olhe que não deve fumar! Você fuma demais, sempre fumou demais! Arruinou sua saúde de tanto fumar!

Meu pai, ele, fumava como um turco; mas não queria que os outros fumassem.

Tornava-se, com seus amigos e seus filhos, quando estavam doentes, muito doce e gentil; mas logo que saravam, recomeçava a maltratá-los.

A minha era uma doença grave; e meu pai logo parou de me tratar, mandou chamar médicos de sua confiança. Por fim, levaram-me para o hospital.

Para que não ficasse impressionada com o hospital, minha mãe dera-me a entender que o hospital era a casa do médico; e que os outros doentes eram todos filhos, sobrinhos e netos do doutor. Eu, por obediência, acreditei; contudo, ao mesmo tempo, sabia que se tratava de um hospital; e dessa vez, como também mais tarde, a verdade e a mentira misturaram-se em mim.

— Agora você tem as pernas mais magras do que Lucio — disse minha mãe —, agora a Frances vai ficar contente!

De fato, a Frances costumava comparar minhas pernas com as de Lucio e preocupar-se, porque as pernas de Lucio eram finas e sem cor, nas meias brancas presas em cima por um elástico de veludo preto.

Uma noite, ouvi minha mãe conversando com alguém no vestíbulo e ouvi que abria o armário dos lençóis. Na porta envidraçada passavam sombras.

Durante a noite, ouvi tossirem no quarto ao lado do meu. Era o quarto de Mario quando vinha aos sábados; mas não podia ser Mario, não era sábado; e parecia uma tosse de homem velho, gordo.

Minha mãe, entrando no meu quarto de manhã, disse-me que lá tinha dormido um certo senhor Paolo Ferrari; e que estava cansado, velho, doente, tinha tosse, e não se devia fazer-lhe muitas perguntas.

O tal senhor Paolo Ferrari estava na sala de jantar, tomando chá. Ao vê-lo, reconheci Turati, que uma vez viera à Via Pastrengo. Mas, como me disseram que se chamava Paolo Ferrari, acreditei, por obediência, que fosse Turati e Ferrari ao mesmo tempo; e novamente verdade e mentira misturaram-se em mim.

Ferrari era velho, grande como um urso, e com a barba grisalha, arredondada. Tinha o colarinho da camisa muito largo, e a gravata amarrada como uma corda. Tinha mãos pequenas e brancas; e folheava uma coletânea de poemas de Carducci, numa encadernação vermelha.

Depois fez uma coisa esquisita. Pegou o livro em memória da Kulichov e escreveu nele uma longa dedicatória para minha mãe. Assinou assim: "Anna e Filippo". Eu estava ficando com as ideias cada vez mais confusas; não entendia como ele podia ser Anna, e como, ao mesmo tempo, podia ser Filippo, se, ao contrário, como diziam, era Paolo Ferrari.

Meu pai e minha mãe pareciam muito contentes por ele estar ali. Meu pai não fazia escarcéus, e todos falavam em voz baixa. Mal tocavam a campainha, Paolo Ferrari atravessava o corredor correndo e refugiava-se num quarto dos fundos. Quase sempre era Lucio, ou o leiteiro; porque, naqueles dias, outras pessoas estranhas não apareceram em nossa casa.

Atravessava o corredor correndo, tentando andar nas pontas dos pés: grande sombra de urso ao longo das paredes do corredor.

Paola me disse: — Não se chama Ferrari. É Turati. Precisa fugir da Itália. Está escondido. Não diga a ninguém, nem mesmo ao Lucio.

Jurei não dizer nada a ninguém, nem mesmo ao Lucio; mas tinha uma vontade imensa de contar ao Lucio quando vinha brincar comigo.

Lucio, porém, de curioso não tinha nada. Vivia me dizendo que eu "bancava a curiosa" quando me punha a interrogá-lo sobre as coisas de sua casa. Os Lopez eram todos cheios de segredos, não gostavam de contar as coisas da família; de modo que, deles, nunca sabíamos se eram ricos ou pobres, nem quantos anos a Frances estava fazendo, nem mesmo o que tinham comido no almoço.

Lucio disse-me, com indiferença:

— Tem um homem de barba aqui, na sua casa, que foge da sala quando eu chego.

— Sim — disse-lhe —, Paolo Ferrari!

Queria que me fizesse mais perguntas. Mas Lucio não perguntava nada. Batia na parede com um martelo para pendurar um quadrinho que tinha feito e que acabara de me dar de presente. Era um quadrinho representando um trem. Lucio era apaixonado por trens, desde pequeno; vivia dando voltas pela sala, bufando e soprando como uma locomotiva; tinha em casa um grande trem elétrico, que o tio Mauro lhe mandara da Argentina.

Disse-lhe: — Não bata assim com o martelo! É velho, doente, está escondido! Não se deve incomodá-lo.

— Quem?

— Paolo Ferrari!

— Está vendo o tênder — disse Lucio —, está vendo que eu pintei até o tênder?

Lucio falava sempre do tênder. Agora, eu me aborrecia em sua companhia; tínhamos a mesma idade, e, no entanto, ele me parecia muito mais novo do que eu.

Não queria que ele fosse embora, porém. Quando a Maria Buoninsegni vinha buscá-lo, eu me desesperava e pedia que o deixasse ficar em casa mais um pouco.

Minha mãe fazia-nos descer à praça, eu e Lucio, com a Natalina, para esperar a Maria Buoninsegni. Dizia: — Assim vocês tomam um pouco de ar. — Mas eu sabia que era para que a Maria Buoninsegni não viesse a topar com Paolo Ferrari no corredor.

Havia no meio da praça um retângulo de grama, com alguns bancos. A Natalina sentava-se num banco, balançando as pernas curtas de pés compridos; Lucio, bufando e soprando, fazia-se de trem em volta da praça inteira.

A Natalina, quando chegava a Maria Buoninsegni com sua

raposa, desmanchava-se em gentilezas e sorrisos. Tinha a maior veneração pela Maria Buoninsegni. A Maria Buoninsegni mal olhava para ela, e falava com Lucio em seu toscano elegante e rebuscado. Fazia-o vestir a malha, achando que estava suado.

Paolo Ferrari permaneceu em nossa casa, acho, uns oito ou dez dias. Foram dias estranhamente sossegados. Ouvia falar sempre de uma lancha. Uma noite, jantamos cedo, e entendi que Paolo Ferrari devia partir; naqueles dias, estivera alegre e sereno, mas nessa noite, jantando, parecia ansioso e cofiava a barba.

Depois chegaram dois ou três homens com impermeável; deles, eu só conhecia Adriano. Adriano começava a perder os cabelos e tinha agora uma cabeça quase calva e quadrada, cercada de cachos crespos e loiros. Nessa noite, sua cara e seus poucos cabelos pareciam ter sido fustigados por uma lufada de vento. Estava com os olhos assustados, decididos e alegres; vi-o com aqueles olhos duas ou três vezes na vida. Eram os olhos que tinha quando ajudava uma pessoa a fugir, quando havia um perigo e alguém para ser levado a salvo.

No vestíbulo, enquanto o ajudavam a vestir o capote, Paolo Ferrari me disse:

— Nunca diga a ninguém que estive aqui.

Saiu com Adriano e os outros de impermeável, e não tornei a vê-lo, porque morreu em Paris alguns anos mais tarde.

No dia seguinte a Natalina perguntou a minha mãe:

— Será que ela já chegou à Córsega, com aquela barca?

Meu pai, ao ouvir essas palavras, enfureceu-se com minha mãe:

— Você foi fazer confidências para essa desmiolada da Natalina! É uma desmiolada! Vai-nos mandar todos para a cadeia!

— Nada disso, Beppino! A Natalina entendeu muito bem que deve ficar calada!

Depois chegou da Córsega um postal, com os cumprimentos de Paolo Ferrari.

Nos meses seguintes, ouvi dizer que Rosselli e Parri, que ajudaram Turati a fugir, tinham sido presos. Adriano ainda estava livre, mas em perigo, diziam; e talvez viesse a se esconder em nossa casa.

Adriano passou vários meses escondido em nossa casa; e dormia no quarto de Mario, onde Paolo Ferrari também tinha dormido. Paolo Ferrari estava a salvo em Paris; mas agora em casa já não davam conta de chamá-lo de Ferrari, e chamavam-no pelo nome verdadeiro. Minha mãe dizia: — Como era simpático! Como era agradável tê-lo aqui!

Adriano não foi preso, e partiu para o exterior; e ele e minha irmã correspondiam-se, estando noivos. O velho Olivetti veio pedir a meus pais a mão de minha irmã para seu filho; veio de Ivrea numa motocicleta, com um quepe, e com muitos jornais no peito: porque costumava forrar o peito com jornais quando andava de motocicleta, por causa do vento. Pediu a mão de minha irmã num instante; porém, depois ainda ficou um tempão na poltrona de nossa sala, entretendo-se com a barba, e contando de si: de como montara sua fábrica, com pouco dinheiro, e de como educara todos os seus filhos, e de como lia a Bíblia todas as noites, antes de dormir.

Meu pai depois fez um escarcéu com minha mãe, porque não queria aquele casamento. Dizia que Adriano era rico demais; e dizia que era excessivamente fixado em psicanálise. Todos os Olivetti, de resto, tinham essa fixação. Meu pai gostava dos Olivetti, mas achava-os um pouco extravagantes. E de nós, os Olivetti diziam que éramos demasiadamente materialistas, principalmente meu pai e Gino.

Vimos, algum tempo mais tarde, que não seríamos presos. Nem mesmo Adriano, que voltou do exterior e casou-se com minha irmã Paola. Minha irmã, logo que se casou, cortou os cabelos; e meu pai não disse nada, porque já não podia lhe dizer mais nada, não podia mais lhe proibir nem lhe ordenar coisa nenhuma.

Mesmo assim, algum tempo depois, recomeçou a ralhar com ela; e, aliás, agora ralhava com Adriano também. Achava que gastavam muito dinheiro, e que andavam muito de automóvel entre Ivrea e Turim.

Quando tiveram o primeiro filho, criticava o modo como era criado, dizia que deviam dar-lhe mais banhos de sol, se não ficava raquítico. — Vai ficar raquítico por culpa deles! — berrava para minha mãe. — Não toma banho de sol! Diga-lhes que deixem o menino tomar sol!

Temia também que, quando doente, fosse levado a curandeiros. Adriano não acreditava muito nos médicos verdadeiros e, uma vez em que tivera uma ciática, fora a um búlgaro fazer um tratamento com massagens aéreas. Depois, perguntara a meu pai qual a sua opinião sobre as massagens aéreas, e se conhecia aquele búlgaro. Meu pai nada sabia do búlgaro, e as massagens aéreas faziam-no explodir de raiva. — Deve ser um charlatão, um curandeiro! — E quando a criança tinha um pouco de febre, ficava preocupado: — Será que não vão levá-lo a um curandeiro qualquer?

Roberto, o menino, agradava-lhe muito; achava-o muito bonito, e ria, olhando para ele, porque o achava idêntico ao velho Olivetti. — Parece que estou vendo o velho Olivetti! — dizia também minha mãe. — É a cara do velho engenheiro! — Meu pai, quando Paola chegava de Ivrea, ia logo dizendo:

— Conte-me de Roberto.

— Roberto é muito bonito! — dizia sempre. Paola teve depois uma menina, mas esta não agradava a meu pai. Quando a traziam para ele ver, mal olhava. Dizia:

— Roberto é mais bonito!

Paola, então, ofendia-se e fazia tromba; e ele, quando ela tinha ido embora, dizia à minha mãe:

— Viu como é burra a Paola?

Nos primeiros tempos em que a Paola se casara, minha mãe

chorava com frequência, porque ela não estava mais em casa. Minha mãe e Paola eram muito unidas, e contavam sempre muitas coisas uma à outra. Para mim, minha mãe não contava nada, porque me achava pequena; e também porque dizia que eu "não lhe dava corda".

Eu agora ia ao ginásio, e ela não me ensinava mais aritmética; eu continuava sem entender aritmética, mas ela não podia me ajudar, porque não se lembrava da aritmética do ginásio.

— Não dá corda! Não fala! — dizia minha mãe de mim. A única coisa que podia fazer comigo era levar-me ao cinema: porém, eu não aceitava sempre suas exortações para que fôssemos.

— Não sei o que minha patroa vai fazer! Agora vou saber o que minha patroa quer fazer! — dizia minha mãe, falando ao telefone com suas amigas; chamava-me sempre "a sua patroa", porque de fato era eu quem decidia como iríamos passar a tarde: se aceitaria ir ao cinema com ela ou não.

— Estou farta! — dizia minha mãe. — Não tenho mais o que fazer, não há mais o que fazer nesta casa. Todos foram embora. Eu estou farta!

— Você está farta — dizia meu pai — porque não tem vida interior.

— O meu Mariolino! — dizia minha mãe. — Ainda bem, hoje é sábado, o meu Mariolino virá!

De fato, Mario vinha quase todos os sábados. Abria a mala em cima da cama, no quarto onde Ferrari dormira, e tirava com meticulosa atenção o seu pijama de seda, seus sabonetes, seus chinelos de marroquim; sempre tinha coisas novas bonitas, elegantes, belas roupas de tecido inglês. — Toda de lã, Lidia — dizia minha mãe tocando o tecido daquelas roupas; e dizia: — Você também tem lá as suas roupinhas, hein — imitando minha tia Drusilla, que costumava falar assim.

Mario ainda falava *"il baco del calo del malo"*, ao sentar-se um instante comigo e minha mãe na sala e acariciar os maxilares; mas logo depois ia até o telefone, marcava encontros misteriosos, falando em voz baixa. — Até logo, mamãe — dizia do vestíbulo; e não o víamos até a hora do jantar.

Mario raramente trazia amigos seus para casa; e quando vinham não os fazia entrar na sala de visitas, mas trancava-se com eles em seu quarto. Esses amigos eram homens que tinham um ar decidido e atarefado: e, agora, Mario também tinha sempre aquele ar atarefado e decidido: parecia pensar somente em fazer carreira no mundo dos negócios, e não se interessar por outra coisa. Não era mais amigo de Terni, e não lia mais nem Proust, nem Verlaine: lia apenas livros de economia e de finanças. Passava suas férias no exterior, em cruzeiros e viagens. Não passava mais as férias conosco. Passava por conta própria: e às vezes nem sequer sabíamos direito onde estava: — Por onde andará o Mario? — perguntava meu pai, quando Mario ficava um tempo sem escrever. — Não se sabe mais nada dele, não se sabe que diabo de vida ele leva! Que burro!

Entretanto, soube-se pela Paola que Mario ia frequentemente à Suíça: porém não para esquiar. Nunca mais tinha calçado um esqui nos pés, desde o dia em que saíra de casa. Tinha uma amante, na Suíça, uma bem magrinha, que não pesava mais de trinta e cinco quilos; porque somente as mulheres bem magras e muito elegantes agradavam-lhe. Essa, contava a Paola, tomava banho duas ou três vezes por dia: e Mario também, de resto, não fazia outra coisa a não ser tomar banho, barbear-se, e perfumar-se com água-de-colônia: e morria de medo de estar sujo e fedido. Tinha nojo de tudo, um pouco como minha avó; e quando Natalina lhe trazia café, pegava a xícara e examinava-a de todos os lados, para ver se tinha sido bem lavada.

De vez em quando, minha mãe dizia a seu respeito:
— Gostaria que se casasse com uma boa moça!

E meu pai logo se enfurecia:
— Mas que casar que nada! Era só o que faltava! Não quero absolutamente que Mario se case.

Morreu minha avó; e fomos todos a Florença para o funeral. Foi sepultada lá, no túmulo da família; com o avô Parente, com a "finada Regina" e com as outras muitas Margheritas e Reginas.
Agora, quando meu pai a nomeava, dizia "minha finada mãezinha", e dizia-o com um acento particular de afeto e de comiseração. Quando era viva, sempre a tratara um pouco como uma tola, como de resto tratava a todos nós. Morta, agora, seus defeitos pareciam-lhe inocentes e pueris, merecedores de piedade e de compaixão.
Minha avó deixou-nos de herança os seus móveis. Eram móveis, dizia meu pai, "de grande valor"; minha mãe, porém, não gostava deles. Entretanto, Piera, a mulher de Gino, também disse que eram muito bonitos; e minha mãe ficou um tanto abalada, fiando-se em Piera, que, dizia ela, entendia muito de móveis. Mas achava-os demasiadamente grandes e pesados: havia umas poltronas que o vô Parente tinha mandado vir da Índia, de madeira escura com florzinhas entalhadas, e com cabeças de elefante nos braços; e havia cadeiras pretas e douradas, acho que chinesas, e um monte de bibelôs e porcelanas; e prataria e pratos com brasão, que pertenciam em tempos remotos aos nossos primos Dormitzer, que tinham recebido o título de barão, depois de emprestar dinheiro a Francisco José.
Minha mãe tinha medo de que Alberto, quando vinha em férias do colégio, levasse alguma coisa ao Montepio. Por isso, mandou fazer um armarinho com vitrine, que podia ser trancado à chave: e colocou ali dentro todas aquelas pequenas porcelanas.

Porém, dizia que os móveis de minha avó não eram apropriados para nossa casa, que a escureciam e não faziam nenhuma figura.

— São móveis — repetia todos os dias — que destoam na Via Pallamaglio!

Então meu pai decidiu que mudaríamos de casa; e fomos morar no Corso Re Humberto, numa casa baixa, velha, que dava para as alamedas da avenida. Nós tínhamos um apartamento no andar térreo; e minha mãe estava toda contente de estar novamente no térreo, porque assim sentia-se mais próxima da rua e podia entrar e sair sem subir escadas, "podia sair — dizia — até sem chapéu". Seu sonho era sempre sair "sem chapéu", coisa que meu pai a proibira de fazer. — Mas em Palermo — dizia minha mãe — eu saía sempre sem chapéu! — Em Palermo, em Palermo! Em Palermo, quinze anos atrás! Olhe a Frances! A Frances nunca sai sem chapéu!

Alberto deixou o colégio e veio a Turim para obter o diploma do liceu. Prestou ótimos exames e foi aprovado com notas excelentes. Ficamos estupefatos em casa. — Veja o que eu lhe dizia, Beppino — disse minha mãe —, veja que, quando quer, ele estuda!

— E agora? — disse meu pai. — O que ele irá fazer agora?

— Mas o que vocês irão fazer com o Alberto? — disse minha mãe, imitando o jeito da tia Drusilla, que falava sempre assim. Minha tia Drusilla também tinha um filho que não estudava; e por isso minha mãe costumava dizer-lhe por sua vez: — Mas o que vocês irão fazer com o Andrea? — A Drusilla era aquela que dizia: — Porém, você também tem lá as suas roupinhas, hein! — Alguns verões, ia passar as férias conosco, alugava uma casa perto da nossa; e então mostrava à minha mãe as roupas de seu filho e dizia: — Sabe, Andrea também tem lá as suas roupinhas. — A Drusilla, mal chegava à montanha, ia ao curral onde vendiam o leite e dizia: — Eu estaria disposta a pagar até uma coisinha a

mais, mas gostaria de receber o leite um pouco antes dos outros.
— Acabavam entregando-lhe o leite à mesma hora que para nós, mas faziam com que pagasse mais caro por ele.

— Mas o que vocês irão fazer com o Alberto? — repetiu minha mãe durante todo o verão. Naquele ano, a Drusilla não estava conosco, porque fazia tempos perdera o costume de vir à montanha; mas minha mãe ouvia a voz dela ecoando em seus ouvidos. Alberto, interrogado, disse que estudaria medicina.

Disse-o de um jeito entre o indiferente e o resignado, dando de ombros. Alberto era um rapaz alto, magro e loiro, com o nariz comprido: e fazia sucesso com as moças. Minha mãe, quando vasculhava suas gavetas à procura de recibos do Montepio, encontrava uma pilha de cartas e de fotografias de moças.

Não via mais Pestelli, que se casara; nem Pajetta, que depois do reformatório fora novamente detido, processado pelo Tribunal Especial, e encarcerado em Civitavecchia. Agora tinha um amigo chamado Vittorio. — Esse Vittorio — dizia minha mãe — é um excelente rapaz, tão estudioso! É de uma família muito distinta! Alberto é um pelintra, mas sempre escolhe bem os amigos! — Alberto não deixara de ser, na linguagem de minha mãe, "um vadio" e "um pelintra", palavra que não sei direito o que significasse: mesmo agora, que tinha obtido o diploma do liceu.

— Safado! Sem-vergonha! — berrava meu pai de noite, quando Alberto voltava; e estava tão acostumado a berrar assim que berrava mesmo quando, por acaso, ele voltava cedo. — Mas onde diabos você esteve até esta hora? — Fui acompanhar um amigo meu — respondia sempre Alberto com sua voz fresca, alegre e ligeira.

Alberto andava atrás das costureirinhas; porém também andava atrás das moças de boa família. Andava atrás de todas as moças, todas lhe agradavam: e como era alegre e gentil, cortejava, por alegria e gentileza, também aquelas que não lhe agradavam.

Matriculou-se em medicina; e meu pai dava de cara com ele na aula de anatomia; e não gostava absolutamente de encontrá-lo ali. Uma vez, a classe estava às escuras, e meu pai fazia projeções; viu, no escuro, um cigarro aceso. — Quem está fumando? — berrou. — Quem é o filho de um cão que acendeu o cigarro? — Sou eu, papai — respondeu a conhecida voz ligeira; e todos riram.

Quando Alberto devia prestar um exame, meu pai, desde cedo, ficava de péssimo humor. — Vai me fazer passar um papelão! Não estudou nada! — dizia à minha mãe. — Espere, Beppino! — ela respondia —, espere! A gente ainda não sabe.

— Tirou dez — dizia-lhe minha mãe. — Dez? — ele esbravejava: — Dez! Deram-lhe dez porque é meu filho! Se não fosse meu filho, levaria bomba!

E tornava-se mais sombrio do que nunca.

Alberto, mais tarde, tornou-se um médico muito bom. Mas meu pai nunca se convenceu disso. E, quando minha mãe ou alguém de nós não estava passando bem e exprimia o desejo de consultar-se com Alberto, meu pai explodia numa daquelas suas risadas trovejantes:

— Que Alberto o quê! Vocês acham que Alberto sabe muita coisa?

Alberto e seu amigo Vittorio passeavam pelo Corso Re Umberto.

Vittorio tinha cabelos pretos, ombros quadrados e o queixo comprido e saliente. Alberto tinha cabelos loiros, um nariz comprido e o queixo curto e fugidio. Alberto e Vittorio conversavam sobre moças. Conversavam, no entanto, sobre política também; porque Vittorio era um conspirador político. Alberto não parecia absolutamente interessado em política; não lia os jornais, não emitia opiniões, e nunca intervinha nas discussões, que, às vezes, ainda explodiam entre Mario e meu pai. Porém, tinha atração por conspiradores. Desde o tempo do Pajetta, quando ele e Pajetta eram meninos de calças curtas, Alberto sentia-se atraído pela conspiração sem, contudo, tomar parte dela. Gostava de ser amigo e confidente dos conspiradores.

Meu pai, quando encontrava Alberto e Vittorio na avenida, cumprimentava-os com um frio sinal de cabeça. Nem mesmo de longe, acenava-lhe a ideia de que aqueles dois pudessem ser o primeiro um conspirador e o outro seu confidente. Além disso, as pessoas que costumava ver em companhia de Alberto inspiravam-lhe um desprezo desconfiado. E depois meu pai não pensava que ainda existissem conspiradores na Itália. Pensava ser um dos poucos antifascistas que restavam na Itália. Os outros eram aqueles que costumava encontrar na casa de Paola Carrara, aquela amiga de minha mãe que fora, como ela, amiga da Kulichov. — Hoje à noite — dizia meu pai à minha mãe — vamos nos Carrara. Salvatorelli vai estar lá. — Que maravilha! — dizia minha mãe. — Estou curiosa para ouvir o que Salvatorelli tem a dizer!

Depois de ter passado uma noitada em companhia de Salvatorelli, na salinha de estar da Paola Carrara, que era cheia de bonecas, porque costumava fabricar bonecas para uma obra de caridade à qual se dedicava, meu pai e minha mãe sentiam-se um pouco mais confortados. Às vezes, nada de novo fora dito. Mas entre os amigos de meu pai e de minha mãe muitos tinham se tornado fascistas, ou pelo menos não tão aberta e declaradamente antifascistas como agradava a eles. Por isso, com o passar dos anos, sentiam-se cada vez mais sós.

Salvatorelli, os Carrara, o engenheiro Olivetti eram os poucos antifascistas que, para meu pai, restavam no mundo. Eles guardavam, com ele, lembranças do tempo de Turati e de um outro modo de vida que parecia ter sido varrido da face da terra.

Para meu pai, estar em companhia dessas pessoas significava respirar um trago de ar puro. Havia também Vinciguerra, Bauer e Rossi, trancafiados fazia anos na cadeia por terem, em outros tempos, conspirado contra o fascismo. Neles meu pai pensava com veneração e pessimismo, não acreditando que algum dia fossem sair. Havia ainda os comunistas, mas meu pai não conhecia nenhum deles, exceto aquele Pajetta do qual se lembrava ainda de calças curtas, que associava às safadezas de Alberto e que lhe parecia um aventureiro pequeno e temerário. De qualquer modo, naquela época, meu pai não tinha uma opinião bem definida a respeito dos comunistas. Novos conspiradores, na geração dos jovens, não achava que existissem; e, se tivesse desconfiado de que pudessem existir, teriam lhe parecido loucos. Na sua opinião, contra o fascismo não havia nada, absolutamente nada a fazer.

Quanto à minha mãe, ela era de índole otimista e esperava algum belo golpe de cena. Esperava que um dia alguém, de algum modo, "derrubasse" Mussolini. Minha mãe saía, de manhã, dizendo: — Vou ver se o fascismo continua de pé. Vou ver se derrubaram o Mussolini. — Recolhia alusões e boatos nas lojas, e tirava disso auspícios animadores. No almoço, dizia a meu pai: — Existe um grande descontentamento por aí. As pessoas não estão aguentando mais. — Quem lhe disse? — berrava meu pai. — Quem disse — dizia minha mãe — foi o meu verdureiro. — Meu pai bufava de desdém.

Paola Carrara recebia semanalmente o *Zurnal de Zenève* (pronunciava o francês desse modo). Tinha, em Genebra, sua irmã, a Gina, e seu cunhado, Guglielmo Ferrero, emigrados fazia muitos anos para lá, por motivos políticos. De vez em quando, Paola Carrara viajava para Genebra. Porém, às vezes, apreendiam-lhe o passaporte e, então, não podia ir à casa da Gina.

— Apreenderam meu passaporte! Não posso ir à casa da Gina!

— O passaporte era restituído depois, e então ela partia e voltava alguns meses mais tarde, cheia de esperanças e de notícias animadoras. — Escute, escute o que Guglielmo me disse! Escute o que a Gina me disse! — Minha mãe, quando queria alimentar o próprio otimismo, ia visitar Paola Carrara. Porém, às vezes, ela a encontrava em sua salinha semiescura e cheia de continhas, de cartões-postais e de bonecas, toda amuada. Tinham lhe tirado o passaporte, ou não lhe chegara — e ela pensava que tivesse sido sequestrado na fronteira — o *Zurnal de Zenève*.

Mario largou o emprego em Gênova, combinou com Adriano e foi contratado pela Olivetti. Meu pai, no fundo, ficou contente com a coisa: mas antes de ficar contente enfureceu-se, temendo que tivesse sido contratado por ser cunhado de Adriano, e não por seus méritos pessoais.

Paola, agora, morava em Milão. Aprendera a dirigir o automóvel e vivia num eterno vaivém entre Turim, Milão e Ivrea. Meu pai desaprovava, achando que nunca ficava parada num lugar. Todos os Olivetti, por outro lado, nunca ficavam parados num lugar e estavam sempre no automóvel: e meu pai desaprovava.

Mario, então, foi morar em Ivrea; arranjou um quarto, e passava suas noites com Gino, discutindo problemas da fábrica. Sempre tivera um relacionamento frio com Gino; mas nesse período estreitaram a amizade. Entretanto, Mario morria de tédio em Ivrea.

No verão, Mario fizera uma viagem a Paris; fora visitar Rosselli e pedira-lhe que o pusesse em contato com os grupos de Justiça e Liberdade, em Turim. Decidira, de repente, tornar-se um conspirador.

Vinha a Turim no sábado. Continuava sempre o mesmo, misterioso, meticuloso ao pendurar suas roupas dentro do guarda-roupa, ao ajeitar nas gavetas seus pijamas, suas camisas de seda. Ficava pouco em casa, vestia o impermeável com ar decidido e atarefado, saía, e dele nada se sabia.

Um dia, meu pai o encontrou no Corso Re Umberto, em companhia de uma pessoa que conhecia de vista, um certo Ginzburg. — O que o Mario anda fazendo com esse Ginzburg? — disse à minha mãe. Minha mãe, havia algum tempo, pusera-se a estudar o russo, "para não se encher"; e tomava aulas, junto com a Frances, na irmã de Ginzburg. — É uma pessoa — disse minha mãe — muito culta, inteligentíssima, que traduz do russo e faz excelentes traduções. — Porém — disse meu pai —, é muito feio. Como se sabe, os judeus são todos feios. — E você? — disse minha mãe —, você não é judeu?

— De fato, eu também sou feio — disse meu pai.

As relações entre Alberto e Mario eram sempre muito frias. Entre eles, não estouravam mais as velhas lutas furibundas e selvagens. Entretanto, nunca trocavam uma palavra; e, encontrando-se no corredor, jamais se cumprimentavam. Mario, quando falavam o nome de Alberto, arqueava os lábios com desprezo.

Agora, porém, Mario conhecia Vittorio, o amigo de Alberto; e calhou de se encontrarem cara a cara na avenida, Mario e Alberto, com Ginzburg e Vittorio, os quais se conheciam bem; e calhou de Mario convidá-los a irem ambos, Ginzburg e Vittorio, tomar chá em casa.

Minha mãe, no dia em que vieram tomar chá em casa, ficou toda contente: porque via Alberto e Mario juntos, e via que tinham os mesmos amigos; e, também, parecia-lhe ter voltado ao tempo da Via Pastrengo, quando vinham os amigos de Gino, e a casa estava sempre cheia de gente.

Minha mãe, além de ter aulas de russo, tomava aulas de piano. As aulas de piano dela eram com um professor recomendado por uma certa senhora Donati que, em idade madura, também começara a estudar piano. A senhora Donati era alta, grande, bonita, com os cabelos brancos. A senhora Donati também estudava pintura, no ateliê de Casorati. Aliás, gostava ainda mais da pintura do que do piano. Idolatrava a pintura, Casorati, o ateliê, a mulher e o filho de Casorati, e a casa de Casorati, onde às vezes era convidada para jantar. Queria convencer minha mãe a também tomar aulas com Casorati. Minha mãe, porém, resistia. A senhora Donati telefonava-lhe todos os dias e contava-lhe como tinha se divertido pintando. — Mas você — dizia a senhora Donati à minha mãe —, você não sente as cores? — Sim — dizia minha mãe —, acho que sinto as cores. — E os volumes — continuava a senhora Donati —, você sente os volumes? — Não. Não sinto os volumes — respondia minha mãe. — Não sente os volumes? — Não. — Mas as cores! As cores você sente!

Minha mãe, agora que havia mais dinheiro em casa, mandava fazer roupas. Essa, além do piano e do russo, era uma sua ocupação constante, e, no fundo, um jeito "para não se encher"; porque, depois, minha mãe não sabia quando usar as roupas que mandara fazer, visto que nunca tinha vontade de ir à casa de alguém, a não ser na Frances ou na Paola Carrara, pessoas que podia frequentar até com a roupa que usava em casa. Minha mãe fazia os vestidos no "senhor Belom", um velho alfaiate que, na mocidade, fora um pretendente de minha avó, em Pisa, quando ela procurava marido, mas não queria "as sobras de Virginia"; ou então, mandava fazê-los em casa por uma costureira, chamada Tersilla. Agora, a Rina não vinha mais a casa, desaparecida na noite dos tempos; mas meu pai, quando encontrava a Tersilla no corredor, enfurecia-se, como se enfurecia no passado, ao ver a Rina. A Tersilla, porém, era mais corajosa que a Rina e cumprimentava meu pai, passando por ele com suas tesouras na cintura, com seu sorriso educado no rosto piemontês, miúdo e rosado. Meu pai respondia-lhe com um frio sinal de cabeça.

— A Tersilla está aí! Mas como, hoje também a Tersilla está

aí! — berrava depois à minha mãe. — Ela veio — dizia minha mãe — para revirar um velho casaco meu. Um casaco do senhor Belom. — Ao ouvir o nome do tal Belom, meu pai calava-se tranquilizado, porque estimava o senhor Belom, que fora um pretendente de sua mãe. Não sabia, porém, que o senhor Belom era um dos alfaiates mais caros de Turim.

Minha mãe, entre o senhor Belom e a Tersilla, oscilava ora para um ora para a outra. Quando encomendava um vestido no senhor Belom, achava depois que não era tão bem cortado assim e que "lhe caía mal nos ombros". Então, chamava a Tersilla, e mandava ela desfazer e refazer tudo desde o começo. — Nunca mais irei ao senhor Belom! Mandarei sempre a Tersilla fazer tudo para mim! — declarava, experimentando diante do espelho o vestido descosturado e refeito. Porém, havia vestidos que nunca lhe ficavam bem, "caíam sempre mal"; então, dava-os de presente à Natalina. A Natalina, agora, também tinha muitas roupas. Saía, aos domingos, com um casaco comprido do senhor Belom, preto, todo abotoado, que a deixava parecida com um vigário.

A Paola também mandava fazer muitas roupas. Porém, no que diz respeito a isso, estava sempre em polêmica com minha mãe. Dizia que minha mãe mandava fazer vestidos errados, que os fazia todos iguais, e depois mandava a Tersilla copiar um vestido do senhor Belom mil vezes, até a náusea. Mas era assim que minha mãe gostava. Minha mãe dizia que quando tinha os filhos pequenos mandava fazer para eles um monte de aventais todos iguais, e que agora queria ter, como seus filhos, um monte de aventais, para o verão e para o inverno. Essa concepção das roupas como aventais não convencia Paola absolutamente.

Se Paola vinha de Milão com um vestido novo, minha mãe a abraçava e dizia: — Quando meus filhos estão de roupa nova, gosto deles mais ainda. — Porém, logo sentia vontade de fazer um vestido novo para si também: não igual, porque sempre achava as roupas de Paola demasiadamente complicadas: ela o mandava fazer "mais estilo avental". O mesmo lhe acontecia em relação a mim. Quando mandava fazer uma roupa para mim, imediatamente sentia vontade de mandar fazer uma também para si: porém não me confessava isso, nem à Paola, porque eu e Paola costumávamos lhe dizer que mandava fazer roupas demais: tornava a guardar o tecido dobrado, em sua cômoda; e um belo dia víamos o novo tecido nas mãos da Tersilla.

Gostava de ter a Tersilla em casa, mesmo porque apreciava sua companhia. — Lidia, Lidia! onde você está? — trovejava meu pai ao voltar para casa. Minha mãe estava no quarto de passar, conversando com a Natalina e a Tersilla.

— Você não larga das empregadas! — berrava meu pai. — Hoje também a Tersilla está aí!

— O que Mario andará fazendo com esse russo? — dizia meu pai de vez em quando. — Surge um novo astro — dizia, após ter encontrado Mario com Ginzburg na avenida. Entretanto, agora via Ginzburg com outros olhos, e não lhe inspirava muita desconfiança, depois que o encontrou uma vez na salinha de Paola Carrara, junto com Salvatorelli. Não entendia, porém, o que Mario tinha a compartilhar com ele. — O que andará fazendo com esse Ginzburg? — dizia. — O que, diabos, tanto conversam?

— É feio — dizia à minha mãe, falando de Ginzburg — porque é um judeu sefardita. Eu sou judeu asquenazita, e por isso sou menos feio.

Meu pai sempre se manifestava de modo bastante favorável sobre os judeus asquenazitas. Adriano, ao contrário, costumava falar bem dos mestiços, que eram, dizia, as melhores pessoas. Entre os mestiços, os que mais lhe agradavam eram os filhos de pai judeu e mãe protestante, como era o caso dele.

Nessa época, em casa, fazia-se uma brincadeira. Era uma brincadeira que a Paola tinha inventado, e que ela e Mario, principalmente, viviam fazendo: mas às vezes minha mãe também participava. A brincadeira consistia em dividir as pessoas conhecidas em minerais, animais e vegetais.

Adriano era um mineral-vegetal, Paola era um animal-vegetal. Gino era um mineral-vegetal. Rasetti, que de resto não víamos fazia muitos anos, era um mineral puro, assim como a Frances também.

Meu pai era um animal-vegetal, como minha mãe também.

— Vanilóquio! — dizia meu pai, apanhando ao passar uma ou outra palavra. — E dá-lhe sempre com esse vanilóquio!

Quanto aos vegetais puros, os fantásticos puros, havia pouquíssimos no mundo. Talvez vegetais puros somente alguns grandes poetas tinham sido. Por mais que procurássemos, não achávamos um único vegetal puro entre nossos conhecidos.

Paola dizia ter sido ela quem inventara essa brincadeira, mas depois alguém lhe dissera que Dante já fizera uma subdivisão dessa espécie no *De vulgari eloquentia*. Se era verdade, não sei.

Alberto foi fazer o serviço militar, em Cuneo; e agora Vittorio passeava sozinho na avenida, porque ele já tinha feito o serviço militar.

Meu pai, voltando para casa, encontrava minha mãe entretida em soletrar em russo. — Arre, esse russo — dizia. Minha mãe continuava soletrando em russo, mesmo à mesa, e recitando poeminhas russos que aprendera. — Pare com esse russo! — trovejava meu pai. — Mas eu gosto tanto, Beppino! — dizia minha mãe. — É tão bonito! Até a Frances está aprendendo!

Um sábado, Mario não veio, como sempre, de Ivrea; nem

sequer apareceu no domingo. Minha mãe, porém, não estava preocupada, porque já não tinha vindo outras vezes. Pensou que tivesse ido se encontrar com aquela sua amante magrinha, na Suíça.

Na segunda-feira de manhã, Gino e Piera vieram nos dizer que Mario fora detido na fronteira suíça, junto com um amigo; o local onde o tinham detido era Ponte Tresa; e não se sabia mais. Gino recebera a notícia por intermédio de alguém da filial Olivetti de Lugano.

Nesse dia, meu pai não estava em Turim; e chegou na manhã seguinte. Minha mãe mal teve tempo de contar-lhe o que acontecera: depois a casa ficou cheia de policiais da delegacia, vindos para fazer uma investigação.

Não encontraram nada. No dia anterior, nós e Gino tínhamos examinado as gavetas de Mario, para ver se havia lá alguma coisa para queimar; mas não encontráramos nada, exceto todas as suas camisas, "a sua roupinha", como dizia minha tia Drusilla.

Os policiais foram embora e disseram a meu pai que devia acompanhá-los até a delegacia para averiguações. À noite, meu pai ainda não tinha voltado: e então compreendemos que fora preso.

Gino, ao voltar para Ivrea, fora detido; e depois transferido de lá para a prisão de Turim.

Depois, Adriano veio nos dizer que Mario, ao atravessar a Ponte Tresa de automóvel com o tal amigo, fora detido pelos guardas aduaneiros, que procuravam cigarros; e, revistando o automóvel, eles encontraram panfletos antifascistas. Mario e seu amigo foram intimados a sair, e os guardas os acompanharam até o posto policial; passavam à beira-rio. De repente, Mario se desvencilhara, atirara-se no rio vestido como estava e nadara até a fronteira suíça. Por fim, guardas suíços vieram ao seu encontro com uma barca. Agora Mario estava na Suíça, a salvo.

Adriano estava com seu rosto da fuga de Turati, seu rosto feliz e apreensivo dos dias de perigo; e colocou um automóvel e um motorista à disposição de minha mãe: que, porém, não sabendo aonde ir, não sabia o que fazer com eles.

Minha mãe, a toda hora, juntava as mãos e dizia, entre feliz, admirada e apreensiva:

— Na água, de paletó e tudo!

O tal amigo encontrado com Mario em Ponte Tresa, e que era dono do automóvel — Mario não tinha automóvel, nem sabia guiar —, chamava-se Sion Segre. Nós o tínhamos visto algumas vezes em casa, com Alberto e Vittorio. Era um rapaz loiro, sempre um pouco encurvado, de aspecto doce e indolente; era amigo de Alberto e Vittorio, e que também conhecesse o Mario, não estávamos sabendo. Paola, vinda imediatamente de automóvel de Milão, disse-nos que ela sabia disso: Mario lhe contara. Dessas viagens entre a Itália e a Suíça, com panfletos, Mario e seu amigo Sion Segre já tinham feito muitas, e sempre se saíram bem; de modo que se tornara cada vez mais ousado, enchera cada vez mais o automóvel de panfletos e de jornais, deixara de lado qualquer regra de prudência. Quando se atirara no rio, um guarda puxara o revólver; mas um outro guarda gritara para não disparar. Mario devia a vida àquele guarda que assim gritara. As águas do rio estavam muito agitadas, mas ele sabia nadar bem; e estava acostumado à água gelada, porque, de fato, lembrou-se minha mãe, durante um daqueles seus cruzeiros, tomara um banho no Mar do Norte, em companhia do cozinheiro do navio; e os outros passageiros olhavam da ponte e aplaudiam; e, aliás, quando ficaram sabendo que Mario era italiano, puseram-se a gritar: — Viva Mussolini!

Entretanto, lá no rio Tresa, no fim, estava quase perdendo as forças, atrapalhado com as roupas e, quem sabe, com a emoção; mas aí os guardas suíços mandaram o barco ao seu encontro.

Minha mãe, juntando as mãos, dizia:

— Será que aquela amiga magrinha dele, lá da Suíça, vai lhe dar comida?

Agora Sion Segre encontrava-se preso em Turim; e tinham detido um irmão dele também. Detiveram Ginzburg, e muita gente que tivera relações com Mario, em Turim.

Vittorio, ele, não fora detido. Estava surpreso, disse à minha mãe, porque costumava frequentar todas aquelas pessoas; sua cara comprida de queixo saliente estava pálida, tensa e perplexa. Iam e vinham pelo Corso Re Umberto, ele e Alberto, que tinha voltado para casa de licença por uns poucos dias.

Minha mãe não sabia como fazer chegar a meu pai, na prisão, a roupa-branca e coisas para comer; e também estava ansiosa por alguma notícia. Pediu-me que procurasse na lista telefônica o número dos pais de Segre; mas Segre era órfão e não tinha ninguém, salvo aquele irmão também detido. Minha mãe sabia que os irmãos Segre eram sobrinhos de Pitigrilli; e pediu-me que telefonasse a Pitigrilli para saber o que ele estava pensando em fazer e se levaria roupa e livros para os sobrinhos na prisão. Pitigrilli respondeu que viria até a nossa casa.

Pitigrilli era um romancista. Alberto era um grande leitor de seus romances; e meu pai, quando encontrava um romance de Pitigrilli pela casa, parecia ter visto uma cobra. — Lidia! Esconda esse livro já! — berrava. De fato, tinha muito medo de que eu pudesse lê-lo: por serem os romances de Pitigrilli nada "apropriados" para mim. Pitigrilli dirigia também uma revista chamada *Le Grandi Firme*: também ela sempre presente no quarto de Alberto, encadernada em grossos fascículos em suas estantes, junto com os livros de medicina.

Pitigrilli, então, chegou a nossa casa. Era alto, gordo, com longas suíças pretas e grisalhas, com um grosso sobretudo claro que não tirou, sentando-se gravemente na poltrona e falando com minha mãe num tom austero, com um toque de discreta condolência. Fora preso uma vez, anos atrás, e explicou-nos tudo: os alimentos que se podia fazer chegar aos detentos em certos dias da semana, e como era preciso tirar a casca de nozes e avelãs, descascar as maçãs, as laranjas, e cortar o pão em fatias fininhas, em casa, porque não se podia ter facas na cadeia. Explicou-nos tudo: e depois ainda ficou conversando amavelmente com minha mãe, as pernas cruzadas, o sobretudo grosso desabotoado, as sobrancelhas bastas franzidas na testa. Minha mãe disse-lhe que eu escrevia novelas; e quis que eu lhe mostrasse um caderninho meu, onde passara a limpo, com letra bem caprichada, as minhas três ou quatro novelas. Pitigrilli, sempre com aquele seu ar misterioso, altivo e contristado, pôs-se a folheá-lo um pouco.

Depois, chegaram Alberto e Vittorio; e minha mãe apresentou ambos a Pitigrilli. E Pitigrilli saiu ladeado pelos dois, no Corso Re Umberto, com seu andar pesado, o ar altivo e contristado, o sobretudo grande e comprido sobre os ombros.

Meu pai permaneceu na cadeia quinze ou vinte dias, acho; Gino, dois meses. Minha mãe ia de manhã à prisão, com um embrulho de roupas-brancas; e com pacotes de laranjas descascadas e de nozes sem casca, nos dias em que se podia levar comida.

Depois ia à delegacia. Às vezes era recebida por um tal de Finucci, e às vezes por um tal de Lutri: e esses dois personagens pareciam-lhe todo-poderosos, parecia-lhe que tinham nas mãos os destinos de nossa família. — Hoje estava lá o Finucci! — dizia, voltando para casa, toda contente porque o Finucci a tranquilizara: e dissera-lhe que não havia nada que incriminasse meu pai e Gino, que logo seriam libertados. — Hoje estava lá o Lutri! — dizia contente do mesmo jeito: porque o Lutri tinha maneiras rudes, mas, pensava minha mãe, talvez fosse de índole mais sincera. Sentia-se também lisonjeada com o fato de ambos os personagens chamarem todos pelo nome, e parecerem conhecer-nos todos a fundo; diziam "Gino", "Mario", "Piera", "Paola". Tratavam meu pai de "professor", e quando ela lhes explicava que era um homem de ciência, que nunca se metera com política, e que só pensava em suas células dos tecidos, eles anuíam e diziam-lhe que ficasse tranquila. Entretanto, aos poucos, minha mãe foi ficando assustada, porque meu pai não voltava para casa, e Gino também não; e depois, a certa altura, saiu um artigo no jornal com a seguinte manchete: "Descoberto em Turim grupo de antifascistas mancomunados com os exilados em Paris". — Mancomunados! — repetia angustiada minha mãe: e a palavra "mancomunados" soava-lhe carregada de obscuras ameaças. Chorava, na sala de visitas, rodeada por suas amigas, a Paola Carrara, a Frances, a senhora Donati, e as outras mais moças do que ela e a quem ela costumava dar proteção e assistência, e consolar quando estavam sem dinheiro ou quando brigavam com os maridos; agora eram elas que lhe davam assistência e consolo. Paola Carrara dizia que era preciso enviar uma carta ao *Zurnal de Zenève*.

— Eu acabei de escrever para a Gina! — dizia. — Agora você vai ver como sairá um protesto no *Zurnal de Zenève*!

— É como o caso Dreyfus! — minha mãe não parava de repetir. — É como o caso Dreyfus!

Havia sempre em casa um entra e sai de pessoas, entre a Paola, o Adriano, o Terni, que viera especialmente de Florença, e a Frances, a Paola Carrara; a Piera, na época, de luto por seu pai e grávida, viera morar conosco. A Natalina corria entre a sala e a cozinha, trazendo xícaras de café: e andava excitada e feliz, sentindo-se feliz sempre que havia alguma confusão, gente em casa, barulho, dias dramáticos, toques de campainha e muitas camas para arrumar.

Em seguida, minha mãe partiu com Adriano para Roma;

porque Adriano descobrira que em Roma existia um certo doutor Veratti, médico particular de Mussolini, que era antifascista e se dispunha a ajudar os antifascistas. Porém, era difícil chegar até ele; Adriano encontrara duas pessoas que o conheciam, Ambrosini e Silvestri; e esperava contatá-lo por intermédio deles.

Ficamos sozinhas em casa, a Natalina, a Piera e eu: uma noite fomos acordadas pela campainha, e levantamos mortas de susto. Eram militares à procura de Alberto, aluno oficial em Cuneo: não tinha voltado ao quartel, e não sabiam onde estava.

Podia ser processado, dizia Piera, por deserção. Quebramos a cabeça a noite inteira, tentando descobrir onde Alberto podia ter ido parar; e Piera achava que podia ter se assustado e fugido para a França. Mas no dia seguinte, Vittorio nos disse que Alberto fora simplesmente encontrar uma moça, na montanha; passara o tempo com ela, esquiando tranquilamente, e esquecendo de voltar ao quartel. Daí, regressara a Cuneo, e fora preso.

Minha mãe voltou de Roma cada vez mais assustada. Porém, de qualquer modo, até se divertira em Roma, porque sempre se divertia nas viagens. Ela e Adriano tinham se hospedado na casa de uma certa senhora Bondi, prima de meu pai: e tentaram entrar em contato não só com o doutor Veratti, mas também com Margherita. Margherita era uma das muitas Margheritas e Reginas que faziam parte da parentela de meu pai: mas essa Margherita era famosa, por ser amiga de Mussolini. No entanto, meu pai e minha mãe não viam a mulher havia muitos anos. Minha mãe não pudera fazer-lhe uma visita, porque ela não estava em Roma nesse período; e também não conseguira falar com o doutor Veratti. Mas aqueles dois, Silvestri e Ambrosini, tinham dado esperanças; e Adriano tinha um outro informante — "meu informante" — dizia sempre — que lhe tinha dito que tanto meu pai como Gino sairiam logo. Entre as pessoas detidas, os únicos realmente comprometidos, e que se dizia que seriam processados, eram Sion Segre e Ginzburg.

Minha mãe não parava de repetir: — É igual ao caso Dreyfus!

Depois, uma noite, meu pai voltou para casa. Veio sem a gravata e sem os cordões dos sapatos, porque eram tirados na prisão. Trazia, embaixo do braço, um embrulho de roupa suja, envolta numa folha de jornal; estava com a barba comprida, e todo contente por ter estado na prisão.

Gino, ao contrário, passou ainda dois meses lá; e um dia, em que minha mãe e a mãe da Piera iam de táxi até a prisão levar-lhe roupa e comida, aconteceu de esse táxi dar uma trombada em outro carro. Nem minha mãe, nem a mãe de Piera sofreram nada: mas viram-se sentadas no táxi trombado, com os pacotes no colo, com o taxista xingando, toda uma multidão de gente em volta, e guardas. Estavam a poucos metros da prisão: e o único medo de minha mãe era de que as pessoas compreendessem que elas estavam indo à prisão com aqueles pacotes, e pensassem que eram parentes de algum assassino. Adriano, quando lhe contaram o fato, disse que, certamente, na constelação de minha mãe havia alguma colisão de astros, e por isso ocorriam-lhe, nesse período, tantas e tão perigosas aventuras.

Mais tarde, Gino também foi libertado. E minha mãe disse:
— Agora, de volta à vida chata!

Meu pai ficara furioso ao saber que Alberto tinha sido preso e corria o risco de ser levado ao Tribunal de Guerra. — Safado! — dizia. — Enquanto a família estava na cadeia, ele ia esquiar com as moças!

— Estou preocupado com Alberto! — dizia, acordando durante a noite. — Não é nenhuma brincadeira, se for levado ao Tribunal de Guerra!

— Estou preocupado com Mario! — dizia. — Estou muito preocupado com Mario! O que andará fazendo?

Meu pai, porém, estava feliz por ter um filho conspirador.

Por essa ele não esperava: e nunca pensara em Mario como um antifascista. Mario costumava discordar dele, quando discutiam, e costumava falar mal dos socialistas de antigamente, caros a meu pai e a minha mãe: costumava dizer que Turati tinha sido um grande ingênuo, e que cometera erros em cima de erros. E meu pai, que também dizia o mesmo, quando ouvia o Mario dizer, ficava todo ofendido:

— É um fascista! — dizia de vez em quando à minha mãe. — No fundo, é um fascista!

Agora não podia mais falar assim. Agora, Mario tinha se tornado um famoso exilado político. Entretanto, desagradava a meu pai que sua detenção e fuga tivessem acontecido enquanto Mario era um empregado da fábrica Olivetti, porque temia que tivesse comprometido a fábrica, Adriano e o velho engenheiro.

— Eu dizia que não devia entrar na Olivetti! — berrava para minha mãe. — Agora comprometeu a fábrica!

— Como Adriano é bom! — dizia. — Deu-se a tanto trabalho por minha causa. É muito bom! Todos os Olivetti são bons!

Paola recebeu, sempre através de não sei que filial da Olivetti, um bilhetinho escrito na conhecida caligrafia de Mario, minúscula e quase ilegível. O bilhetinho dizia o seguinte: "Aos meus amigos vegetais e minerais. Estou bem e não preciso de nada".

Sion Segre e Ginzburg foram processados no Tribunal Especial e condenados, o primeiro a dois anos, e o outro a quatro; porém, a pena foi reduzida à metade, por uma anistia. Ginzburg foi mandado à penitenciária de Civitavecchia.

Alberto, depois, acabou não sendo levado ao Tribunal de Guerra, voltou para casa após o serviço militar; e recomeçou os passeios com Vittorio pelo Corso Re Umberto. E meu pai gritava:

— Safado! Sem-vergonha! — ao ouvi-lo entrar; gritava desse jeito qualquer que fosse a hora que o ouvisse entrar, por costume.

Minha mãe retomou as aulas de piano. E seu professor, um

de bigodinho preto, morria de medo de meu pai e esgueirava-se pelo corredor com as partituras, nas pontas dos pés.

— Não aguento esse seu professor de piano! — berrava meu pai. — Tem um ar equívoco!

— Que nada, Beppino, é um homem muito bom. Gosta tanto da filha! — dizia minha mãe. — Gosta da filha, ensina latim para ela! É pobre!

Minha mãe abandonara o russo, por não poder mais tomar aulas com a irmã de Ginzburg, pois teria sido comprometedor. Em nossa casa, novas palavras tinham entrado: — Não se pode convidar Salvatorelli! É comprometedor! — dizíamos. — Não se pode ter este livro em casa! Pode ser comprometedor! Podem fazer uma busca! — E Paola dizia que nosso portão era "vigiado", e que um sujeito de impermeável estava sempre lá, parado, e que sentia estar sendo "seguida" quando ia passear.

A "vida chata", de resto, não durou muito, porque um ano mais tarde vieram a casa prender Alberto; e soube-se que tinham detido Vittorio e, novamente, muitas outras pessoas.

Vieram de manhã cedo: eram seis horas da manhã, talvez. Começou a busca; e lá estava Alberto, de pijama, entre dois policiais que o vigiavam, enquanto outros folheavam seus livros de medicina, as *Grandi Firme* e os romances policiais.

Recebi permissão daqueles policiais para ir à escola; e minha mãe, pelo vão de uma porta, enfiou na minha pasta os envelopes de suas contas, porque tinha medo de que, no decorrer da busca, caíssem sob os olhos de meu pai, e que ele brigasse com ela porque gastava muito.

— Alberto! Prenderam o Alberto! Mas Alberto nunca se meteu com política! — dizia minha mãe atordoada. Meu pai dizia: — Ele foi preso porque é irmão de Mario! Porque é meu filho! Não por ser ele!

Minha mãe voltou a frequentar a cadeia, levando a roupa-branca; e lá se encontrava com os pais de Vittorio, e com outros parentes dos detentos. — Gente muito distinta — dizia dos pais de Vittorio. — Uma família muito distinta! E disseram que Vittorio é um excelente rapaz. Tinha acabado de prestar, com sucesso, os exames de direito. Alberto sempre escolheu amigos muito distintos!

— E até Carlo Levi está preso! — dizia, com um misto de medo, alegria e de orgulho, porque se assustava com o fato de tantos estarem presos, e de que talvez estivessem aprontando um grande processo, mas a ideia de tantos estarem presos a consolava; e ficava lisonjeada que Alberto estivesse em companhia de gente adulta, distinta e famosa. — Até o professor Giua está preso!

— Porém, os quadros de Carlo Levi não me agradam! — dizia logo meu pai, que nunca perdia uma ocasião de declarar que os quadros de Carlo Levi não lhe agradavam. — Nada disso, Beppino! São bonitos! — dizia minha mãe. — O retrato da mãe dele é lindo! Você não viu!

— Porcarias! — dizia meu pai. — Detesto a pintura moderna!

— Ih, mas o Giua logo será solto! — disse meu pai. — Não está comprometido!

Meu pai nunca sabia quais eram os verdadeiros conspiradores, porque alguns dias mais tarde, de fato, ouviu-se dizer que na casa dos Giua tinham encontrado cartas escritas com tinta simpática, e, de todos, Giua era o que mais estava em perigo.

— Com tinta simpática! — disse meu pai. — Pois é, ele é químico, sabe como se faz tinta simpática!

E estava profundamente surpreso, e quem sabe até vagamente invejoso; pois esse Giua, que costumava encontrar em casa da Paola Carrara, sempre lhe parecera uma pessoa séria, tranquila e grave. Agora, de repente, Giua surgia no centro daquele acontecimento político. Diziam que Vittorio também se achava em situação de extremo perigo.

— Boatos! — disse meu pai. — Só boatos! Ninguém sabe de nada!

Tinham sido detidos também Giulio Einaudi e Pavese: pessoas que meu pai conhecia pouco, ou conhecia apenas de nome. Porém, até ele sentia-se lisonjeado, como minha mãe, que Alberto estivesse entre eles: pois, vendo-o misturado com esse grupo, do qual sabia que faziam uma revista chamada *La Cultura*, parecia-lhe que Alberto, inesperadamente, começara a fazer parte de uma sociedade mais digna.

— Foi trancafiado com os da *Cultura*! Ele, que lê somente *Le Grandi Firme*! — dizia meu pai.

— Devia prestar o exame de biologia comparada! Agora nunca mais irá prestá-lo. Não irá mais se diplomar — dizia à minha mãe, durante a noite.

Mais tarde, Alberto, Vittorio e os outros foram mandados a Roma, algemados, com o comboio do Exército. Foram encarcerados na Regina Coeli.

Minha mãe recomeçara a ir à delegacia, atrás do Finucci e do Lutri. Mas o Finucci e o Lutri diziam que a coisa já passara para a chefatura de Roma, e que eles não sabiam de nada.

Adriano ficara sabendo, por aquele seu informante, que todos os telefonemas entre Alberto e Vittorio tinham sido gravados, um por um. De fato, Vittorio e Alberto telefonavam-se continuamente nos raros intervalos em que não estavam juntos, passeando na avenida.

— Aqueles telefonemas tão bobos! — disse minha mãe. — Gravar um por um!

Minha mãe não sabia o que conversavam nesses telefonemas, porque quando estava ao telefone Alberto falava sussurrando. Porém, minha mãe estava convencida de que falava sempre banalidades, e assim também meu pai.

— Alberto é um personagem tão fútil! — dizia meu pai. — Trancafiá-lo, logo ele, que é a futilidade em pessoa!

Voltou-se a falar no doutor Veratti e na Margherita. Meu pai, porém, não queria nem ouvir falar na Margherita. — Imagine se vou procurar a Margherita! Não vou! Nem sonho com isso! — Essa Margherita, anos antes, escrevera uma biografia de Mussolini; e para meu pai parecia inaudito o fato de existir uma biógrafa de Mussolini entre suas primas. — Talvez nem queira me receber! Imagine se vou mendigar favores a Margherita!

Meu pai foi a Roma, à delegacia, para saber notícias; e, não tendo absolutamente o menor senso de diplomacia, e sempre trovejando com sua voz forte e profunda, não acho que conseguisse obter muita coisa nem quanto a encontros, nem quanto a informações. Fora recebido por alguém, que lhe dissera chamar-se De Stefani; e meu pai, que vivia se enganando nos nomes, depois, conversando sobre ele com minha mãe, chamava-o "Di Stefano". Descreveu-lhe como era o tal "Di Stefano". Minha mãe disse: — Mas esse não é De Stefani, Beppino! é o Anchise! eu também estive lá no ano passado! — Que Anchise que nada! Disse-me que se chamava Di Stefano! Não pode ter me dado identidade falsa! — A respeito de Di Stefano e Anchise, toda vez, meu pai e minha mãe desentendiam-se; e meu pai continuou a chamá-lo de Di Stefano, embora, sem dúvida nenhuma, pelo que dizia minha mãe, se tratasse de Anchise.

De Roma, Alberto escrevia que sentia muito não poder visitar a cidade. De fato, ele só tinha visto Roma por meia hora, com a idade de três anos.

Certa vez, escreveu que lavara os cabelos com leite, e depois seus cabelos fediam, e fedia a cela inteira. O diretor da prisão apreendeu essa carta e mandou dizer-lhe que escrevesse menos besteiras em suas cartas.

Alberto foi exilado num lugarejo chamado Ferrandina, na Lucania. Quanto a Giua e Vittorio, foram processados e pegaram quinze anos cada um.
Meu pai dizia:
— Se Mario voltasse à Itália, pegaria quinze anos! Vinte!

Agora, de Paris, com sua caligrafia minúscula e ilegível, Mario escrevia cartas curtas e concisas, que meus pais custavam a decifrar.
Foram visitá-lo. Em Paris, Mario morava numa água-furtada. Ainda vestia a roupa que estava usando quando se atirara na água em Ponte Tresa: e estava desbotada e puída. Minha mãe queria que comprasse um terno: mas ele se recusou a tirar aquelas roupas desbotadas. Foi logo pedindo notícias de Sion Segre e de Ginzburg, que ainda estavam presos; e falava de Ginzburg com estima, e ao mesmo tempo como que de pessoa distante, que seu pensamento e seu afeto não tinham abandonado, mas que, no entanto, deixara um pouco de lado; e quanto à sua própria aventura e fuga, parecia ter se esquecido delas completamente.
Ele mesmo lavava sua roupa; só tinha duas camisas muito usadas, e lavava-as com muito cuidado, com a meticulosa atenção que antes usava para mexer e guardar nas gavetas sua roupa-branca de seda.
Ele mesmo varria sua água-furtada, com meticulosa atenção. Estava sempre bem banhado, bem barbeado, asseado, mesmo com suas roupas puídas: e mais do que nunca parecia um chinês, disse minha mãe.
Tinha um gato. Num canto da água-furtada, ficava a caixinha com serragem; era um gato muito limpo, disse Mario, nunca fazia cocô no chão. Tinha, disse meu pai, uma fixação por

esse gato. Levantava-se de manhã cedinho para ir comprar leite para o gato. Meu pai, como minha avó, detestava gatos; e minha mãe também não gostava muito de gatos, preferia os cachorros.

Disse minha mãe:

— Por que você não tem um cachorro?

— Que cachorro que nada! — berrou meu pai. — Só faltava ter um cachorro!

Em Paris, Mario tinha rompido com os grupos de Justiça e Liberdade. Frequentara esses grupos, durante um tempo, e colaborava no jornal deles; mas depois vira que não lhe agradavam lá muito.

Mario era aquele que quando criança fizera o poema sobre os meninos Tosi, com os quais não gostava de brincar:

E lá vêm vindo os rapazes Tosi,
De tão chatos com eles ninguém pode.

Para ele, agora, os meninos Tosi eram os grupos de Justiça e Liberdade. Tudo o que diziam, pensavam e escreviam irritava-o. Não parava de criticá-los. E dizia:

...Pois entre as acres sorveiras
Não convém amadurecer o doce figo.

O doce figo era ele, e as acres sorveiras eram os da Justiça e Liberdade.

— É verdade! — dizia. — É assim mesmo!

...Pois entre as acres sorveiras
Não convém amadurecer o doce figo.

Dizia isso rindo e acariciando os maxilares, assim como antigamente dizia *"il baco del calo del malo"*.

Começara a ler Dante. Descobrira que era belíssimo. Também começara a estudar grego, a ler Heródoto e Homero.

Mas não suportava Pascoli, nem Carducci. Carducci, então, deixava-o fora de si. — Era monarquista! — dizia. — Primeiro era republicano, e depois virou monarquista, porque se tomou de amores por aquela imbecil da rainha Margherita!

— E pensar que é da mesma época de Baudelaire, do mesmo século! Leopardi, sim, era um grande poeta. Os únicos poetas modernos são Leopardi e Baudelaire! É ridículo que nas escolas italianas ainda se estude Carducci!

Meu pai e minha mãe foram visitar o Louvre. Mario perguntou se tinham visto Poussin.

Poussin eles não tinham visto. Tinham visto muitas outras coisas.

— Como! — disse Mario. — Não viram Poussin! Então não precisavam ter ido ao Louvre! A única coisa que vale a pena ver no Louvre é Poussin!

— É a primeira vez que ouço falar nesse Poussin — disse minha mãe.

Em Paris, Mario fizera amizade com um certo Cafi. Não parava de falar dele.

— Surge um novo astro — disse meu pai.

Cafi era metade russo metade italiano, emigrado para Paris havia muitos anos, paupérrimo e sem saúde.

Cafi enchera rios de papéis, e dava-os para os amigos lerem, mas não tratava de mandar publicá-los. Dizia que quando a pessoa escreveu uma coisa, não é preciso publicá-la. Tê-la escrito e lê-la para os amigos é o suficiente. Não há nenhuma necessidade de que fique para os pósteros, porque os pósteros não contam absolutamente.

O que estava escrito naqueles papéis Mario não explicava bem. Tudo estava escrito, tudo.

Cafi não comia. Vivia de brisa, vivia com uma tangerina, e suas roupas eram todas esfarrapadas, os sapatos furados. Se tinha algum dinheiro, então comprava comidas refinadas e champanhe.

— Como o Mario é intolerante! — dizia depois meu pai à minha mãe. — Critica todo mundo, não vai com a cara de ninguém! Só com a desse Cafi!

— Até parece que foi ele quem descobriu que Carducci é chato! Eu já sabia disso há muito tempo — disse minha mãe.

Meu pai e minha mãe também tinham se ofendido com o fato de que Mario parecia não ter nenhuma saudade da Itália. Estava apaixonado pela França, e por Paris. Misturava continuamente palavras francesas à sua fala. Falava da Itália, arqueando os lábios, com profundo desprezo.

Meu pai e minha mãe nunca tinham sido nacionalistas. Aliás, odiavam o nacionalismo em todas as suas formas. Mas esse desprezo pela Itália parecia abrangê-los e a todos nós, e aos nossos hábitos, a toda a nossa vida.

Depois, meu pai não apreciava o fato de Mario ter cortado relações com os grupos de Justiça e Liberdade. O chefe dos grupos de Justiça e Liberdade era Carlo Rosselli: e, quando Mario chegara a Paris, Rosselli dera-lhe dinheiro e hospedagem. Meu pai e minha mãe conheciam os Rosselli fazia muitos anos, e eram amigos da mãe, a dona Amélia, que morava em Florença.

— Ai de você se fizer alguma grosseria para o Rosselli! — disse meu pai ao Mario.

Mario, além de Cafi, tinha mais dois amigos. Um era Renzo Giua, o filho daquele Giua que estava preso: um moço pálido, de olhos vivos, com um topete na testa, que tinha fugido sozinho da Itália, atravessando as montanhas. O outro era Chiaromonte, que minha mãe conhecera anos antes na casa da Paola, no verão, em Forte dei Marmi. Chiaromonte era gordo, atarracado, com cachos pretos. Esses dois amigos de Mario estavam de relações cortadas com Justiça e Liberdade, e ambos eram amigos de Cafi, e passavam os dias a escutá-lo quando lia seus papéis, escritos a lápis, e que nunca se tornariam livros porque ele desprezava os livros publicados.

Chiaromonte tinha uma mulher muito doente, e era muito pobre; no entanto, quando podia, ajudava Cafi. Mario também o ajudava. Viviam assim, em estreita amizade, dividindo entre si o pouco que tinham, e sem se apoiar em nenhum grupo, sem fazer projetos para o futuro, porque não havia nenhum futuro possível; provavelmente a guerra estouraria e seria vencida pelos idiotas; porque, dizia Mario, os idiotas sempre venciam.

— Esse Cafi — disse meu pai a minha mãe — deve ser um anarquista! Até o Mario é um anarquista! No fundo, sempre foi um anarquista!

Depois de Paris, meu pai e minha mãe foram a Bruxelas, onde havia um congresso de biologia. Lá, encontraram Terni, outros amigos de meu pai, seus alunos e assistentes: e meu pai sentiu-se aliviado, porque a companhia de Mario cansava-o.

— É sempre do contra! — dizia de Mario. — Mal abro a boca, já está contra mim!

Meu pai, de quando em quando, gostava muito de fazer essas viagens, por ocasião de congressos; e gostava de reencontrar-se com os biólogos, de discutir, coçando a cabeça e as costas, de arrastar minha mãe pelas galerias e museus, com muita pressa e sem nunca lhe permitir parar. Gostava também de ficar em hotéis. Só que, de manhã, ele acordava muito cedo e, ao acordar, estava sempre faminto. Até que não tivesse feito a primeira refeição, seu humor era feroz; zanzava agitado pelo quarto, olhando para fora, espiando as primeiras luzes do amanhecer. Finalmente, quando dava cinco horas, agarrava o telefone e pedia a refeição aos berros:
— *Deux thés! Deux thés complets! Avec de l'eau chaude!** — Em geral, por estarem ainda sonolentos àquela hora, os garçons es-

---

* Em francês: "Dois chás! Dois chás completos! Com água quente!".

queciam de trazer-lhe *"l'eau chaude"*, ou de trazer-lhe a geleia. Finalmente, quando tinha conseguido o que queria, devorava sua refeição, geleia e brioches; e depois fazia minha mãe levantar-se:
— Vamos, Lidia, é tarde! Vamos visitar a cidade.
 — Como o Mario é burro! — dizia de vez em quando. — Sempre foi um burro! Sempre foi intolerante! Não quero que Mario faça nenhuma grosseria com Rosselli!
 — Sempre com aquele Cafi! Cafi! Cafi! — dizia minha mãe, quando estavam novamente em casa, contando sobre Mario para Paola e para mim. Dizia "com Cafi" como dizia antigamente: "com Pajetta!", queixando-se de Alberto. E perguntava a Paola sobre Poussin! — Mas esse Poussin é tão bom assim?

 Paola também foi visitar Mario. Brigaram; e não gostavam mais um do outro. Agora não faziam mais a brincadeira dos minerais e dos vegetais juntos. Não concordavam mais em nada; tinham opiniões diferentes sobre todas as coisas. Em Paris, Paola comprou um vestido. Mario sempre a achara elegante, sempre elogiara seus vestidos, seu gosto; e entre ambos, geralmente, Paola dava os palpites e Mario dava-lhe razão. Mario não gostou do vestido que Paola comprou em Paris. Disse-lhe que com aquele vestido ela parecia "a mulher de um prefeito". Paola ficou muito ofendida. Até Chiaromonte, com quem no passado costumava encontrar-se nas temporadas de praia, em Forte dei Marmi, agora não lhe agradava mais. Não reconhecia aquele Chiaromonte, que antigamente costumava visitá-la na praia, remar e nadar, cortejar suas amigas, caçoar de tudo, ir à noite dançar na Capannina, nesse novo personagem de emigrado político sem dinheiro, com a mulher doente daquele jeito, e tão amigo de Cafi. Mario lhe disse que ela era uma burguesa. — Sim, sou uma burguesa — disse a Paola —, e não estou ligando a mínima para isso!

Foi visitar o túmulo de Proust. Mario nunca tinha ido. — Não liga mais a mínima para Proust! — contou depois Paola à minha mãe, quando voltou. — Nem se lembra dele, não gosta mais dele. Só gosta de Heródoto!

Comprara um impermeável muito bonito para Mario, ao ver que ele não tinha um; e Mario, imediatamente, dera-o de presente a Cafi, porque dizia que Cafi não podia se molhar quando chovia, porque sofria do coração.

— Cafi! Cafi! Cafi! — dizia desgostosa a Paola, também; e concordava com meu pai que Mario tinha feito muito mal em afastar-se do grupo de Rosselli, e dizia que, em Paris, Mario e Chiaromonte estavam ambos isolados e sem mais nenhuma relação com a realidade.

Alberto voltara do confinamento, obtivera o diploma e se casara. Contra todas as previsões de meu pai, tornou-se médico e pôs-se a tratar das pessoas.

Agora tinha um consultório. Ficava bravo com Miranda, sua mulher, se o consultório não estava em ordem, e se havia jornais espalhados. Ficava bravo se não havia cinzeiros; porque ele vivia fumando um cigarro atrás do outro, e agora não jogava mais as bitucas no chão.

Os doentes chegavam, ele os examinava; e, no ínterim, contavam-lhe seus casos. Ele ficava ouvindo, pois gostava dos casos das pessoas.

Depois ia, de avental branco e com o estetoscópio pendurado no pescoço, até a sala vizinha. Lá estava Miranda, jogada num sofá com a bolsa de água quente, embrulhada numa manta, porque era muito friorenta e preguiçosa. Ele mandava fazer um café.

Estava sempre irrequieto, como quando era criança, e tomava café continuamente. Fumava continuamente, aos tragos, sem respirar, sempre como se estivesse bebendo o cigarro.

Os amigos vinham vê-lo, ele lhes tirava a pressão e lhes dava amostras de remédios.

Encontrava doenças em todos. Só em sua mulher não encontrava nenhuma. Ela lhe dizia: — Me dê um fortificante! Devo estar doente. Vivo com dor de cabeça. Sinto-me cansada! — Ele então dizia:

— Você não está doente. Só é feita de um material de segunda categoria.

Miranda era pequena, magra e loira, de olhos azuis. Costumava passar muito tempo em casa, com um roupão de Alberto, e embrulhada na manta. Dizia:

— Por pouco não vou a Ospedaletti, na Elena.

Vivia sonhando em ir até Ospedaletti, onde Elena, sua irmã, passava os meses de inverno. A irmã, loira e parecida com ela, mas um pouco mais enérgica, estava naquele momento em Ospedaletti, numa espreguiçadeira ao sol, de óculos escuros, e com uma manta nas pernas. Ou talvez jogasse bridge.

Miranda e sua irmã eram ótimas no jogo de bridge. Tinham vencido torneios. Miranda tinha a casa cheia de cinzeiros, que ganhara nesses torneios.

Quando jogava bridge, Miranda sacudia-se de seu torpor. Fazia uma cara maliciosa e hílare, baixando o nariz curvo sobre as cartas, e seus olhos brilhavam.

No entanto, raramente conseguia separar-se de sua poltrona e da manta. À tarde levantava-se, ia à cozinha e olhava dentro de uma panela, onde havia um frango cozinhando. Alberto dizia:

— Mas por que nesta casa sempre se come frango cozido?

Alberto também jogava bridge. Só que ele sempre perdia.

Miranda sabia tudo sobre a Bolsa, pois seu pai era corretor de câmbio. Dizia à minha mãe:

— Sabe que talvez venda as minhas Incet? — E dizia-lhe:
— Você deveria vender os seus Imobiliários! O que está esperando para vender os Imobiliários?
Minha mãe chegava para meu pai e dizia:
— É preciso vender os Imobiliários! Foi Miranda quem disse!
Meu pai dizia:
— Miranda! O que é que a Miranda entende disso?
Mais tarde, porém, quando encontrava Miranda, dizia:
— Você, que entende de Bolsa, acha realmente que eu faria bem em vender os Imobiliários?
Depois dizia à minha mãe: — Que emplastro essa Miranda! Vive com dor de cabeça! Mas entende da Bolsa! Tem muito faro para os negócios!
Meu pai, quando Alberto tinha anunciado seu casamento, fizera um grande escarcéu. Porém, depois, conformara-se. No entanto, acordando durante a noite, dizia:
— Como é que vão fazer, se não têm um tostão? E Miranda é um emplastro!
Realmente, não tinham muito dinheiro. Mas depois Alberto começou a ganhar. As moças vinham se consultar com ele; e contavam-lhe seus aborrecimentos. Ele ficava ouvindo, com muito interesse. Era dotado de curiosidade e paciência. E apreciava, nas pessoas, os aborrecimentos e as doenças.
Agora só lia revistas médicas. Não lia mais os romances de Pitigrilli. Já lera todos: e Pitigrilli não escrevera outros, tendo desaparecido e ninguém sabia por onde andava.
Alberto não ia mais passear no Corso Re Umberto. Seu amigo Vittorio estava preso; e dele só tinha raras notícias, quando seus pais estavam com bronquite e mandavam chamá-lo.
Alberto fazia suas roupas num alfaiate, que se chamava Vittorio Foa. Alberto, enquanto o alfaiate tirava suas medidas para a roupa, dizia:

— Faço roupas aqui por causa do nome!

E o alfaiate, satisfeito, agradecia.

De fato, Vittorio também se chamava Foa, como o alfaiate.

Alberto dizia a Miranda:

— Sempre bronquites! Sempre doenças idiotas! Nunca que me aparece para curar uma bela doença esquisita, meio complicada, meio esquisita! Eu me aborreço! No fundo, eu me aborreço! Não estou me divertindo o suficiente!

Ao contrário; divertia-se praticando a medicina, porém não queria confessá-lo. Minha mãe dizia:

— Alberto é apaixonado pela medicina!

Dizia: — Quero ir ao Alberto fazer uma consulta. Hoje meu estômago não anda muito bem.

E meu pai dizia:

— Que nada! Você acha que aquele estabanado do Alberto sabe muita coisa?

Dizia: — Seu estômago não vai bem porque ontem você comeu demais! Tome um comprimido! Vou lhe dar um comprimido!

Todos os dias minha mãe passava na casa de Alberto, que morava perto deles. Encontrava Miranda na poltrona. Alberto saía um instante de seu consultório, de avental, com o estetoscópio no peito; e aquecia-se no termossifão. Ele e minha mãe tinham a mesma mania de ficar sempre grudados nos termossifões.

Miranda ficava ali embrulhada na manta. Minha mãe lhe dizia: — Mexa-se! Lave o rosto com água fresca! Vamos passear. Vou levá-la ao cinema!

Miranda dizia: — Não posso. Preciso ficar em casa. Estou esperando minha prima. E depois, estou com muita dor de cabeça.

Alberto dizia, então: — Miranda não tem vida. É preguiçosa. É feita de um material de segunda categoria.

Miranda vivia à espera de suas primas. Tinha primas aos montes. Alberto dizia:

— Estou cheio de tratar de suas primas!

E dizia: — Como Turim é uma cidade chata! Como a gente se chateia aqui! Nunca acontece nada! Antigamente, pelo menos, éramos detidos! Agora não nos detêm mais. Esqueceram-se da gente. Sinto-me esquecido, deixado na sombra!

Agora Paola também tinha vindo morar em Turim. Morava na colina, numa imensa casa branca, com um terraço circular, que dava para o Pó.

Paola adorava o Pó, as ruas e a colina de Turim, e as alamedas do Valentino, onde antigamente costumava passear com o moço miúdo. Sempre sentira muita saudade da cidade. Mas agora ela também achava que Turim tinha se tornado mais cinzenta, mais chata, mais triste. Muita gente, muitos amigos estavam longe, encarcerados. Paola não reconhecia as ruas de sua juventude, quando tinha poucas roupas e lia Proust.

Agora tinha muitas roupas. Mandava fazê-las nos ateliês de alta-costura; mas fazia com que a Tersilla viesse também à sua casa, e a disputavam, ela e minha mãe. Paola dizia que a Tersilla dava-lhe uma sensação de segurança. Dava-lhe a sensação de continuidade da vida.

Às vezes, convidava Alberto e Miranda, e Sion Segre, que voltara do cárcere, para almoçar. Sion Segre tinha uma irmã, Ilda, que sempre estava na Palestina com o marido e os filhos, mas que vinha a Turim de vez em quando.

Paola e Ilda tornaram-se amigas. Ilda era bonita, alta, loira, e iam, ela e Paola, passear com andar vagaroso pela cidade.

Os filhos de Ilda chamavam-se Ben e Ariel; e iam à escola em Jerusalém. Em Jerusalém, Ilda levava uma vida austera, e só falava de problemas judaicos; mas quando vinha a Turim, passar uma temporada na casa do irmão, gostava de falar até de roupas, e de ir passear.

Minha mãe sempre tinha um pouco de ciúme das amigas de Paola; e quando Paola arranjava uma nova amiga, ela ficava mal-humorada, sentindo-se posta de lado.

Então, levantava-se de manhã com um rosto cinzento, com as pálpebras pisadas, e dizia: — Estou com "alcatroagem". — Esse conjunto de tristeza e de sensação de solidão, misturado também a uma indigestão habitual, era chamado por minha mãe de "alcatroagem". Com "alcatroagem" ela se refugiava na sala de visitas, e, se sentia frio, enrolava-se em xales de lã, e achava que Paola não gostava mais dela, não vinha visitá-la, e ia passear com suas amigas.

— Estou farta! — dizia minha mãe. — Não me divirto! Estou cheia! Não existe nada pior do que ficar cheia! Se ao menos eu pegasse uma bela doença!

Às vezes tinha uma gripe. Ficava contente, porque achava a gripe uma doença mais nobre do que suas costumeiras indigestões. Tirava a temperatura: estava com trinta e sete e quatro. — Sabe que estou doente? — dizia contente a meu pai. — Estou com trinta e sete e quatro!

— Trinta e sete e quatro? É pouco! — dizia meu pai. — Eu vou ao laboratório até com trinta e nove!

Minha mãe dizia: — Vamos esperar até a noite! — Mas não esperava a noite, tirava a temperatura a toda hora. — Sempre trinta e sete e quatro! No entanto, estou me sentindo mal!

Paola, por sua vez, também tinha ciúme das amigas de minha mãe. Não da Frances ou da Paola Carrara. Tinha ciúme das amigas jovens, aquelas a quem minha mãe dava proteção e assistência, e que arrastava consigo nos passeios e no cinema. Paola vinha visitar minha mãe, e diziam-lhe que tinha saído com uma daquelas jovens amigas. Paola ficava brava: — Mas ela vive passeando! Nunca está em casa!

E Paola ficava brava também quando minha mãe emprestava a Tersilla a alguma de suas jovens amigas.

— Você não devia emprestar a Tersilla! — dizia-lhe. — Eu precisava dela para consertar os casacos das crianças!

— Nossa mãe é muito jovem! — lamentava-se Paola comigo, às vezes. — Eu, ao contrário, gostaria de ter uma mãe velha, gorda, com todos os cabelos brancos! Uma que ficasse sempre em casa, que bordasse toalhas. Como é a mãe do Adriano. Ter uma mãe muito velha, tranquila, me daria uma grande sensação de segurança. Uma que não tivesse tanto ciúme de minhas amigas. Eu viria visitá-la, e ela estaria ali, sempre serena, com o bordado, toda vestida de preto, e me daria bons conselhos!

Dizia-lhe: — Se você vive cheia de tudo, por que não aprende a bordar? Minha sogra borda! Passa os dias bordando!

E minha mãe dizia:

— Mas a sua sogra é surda! O que é que eu posso fazer, se não sou surda como a sua sogra? Eu me chateio de ficar sempre fechada em casa! Tenho vontade de passear!

Dizia: — Imagine só se vou aprender a bordar! Não sou disso! Não sei dar ponto! Quando remendo as meias do papai, faço uns pontos horríveis, que depois a Natalina tem que desmanchar!

Recomeçara a estudar o russo, sozinha, e a soletrar no sofá; e, quando a Paola vinha visitá-la, dizia-lhe as frases da gramática, soletrando.

Dizia Paola: — Ufa! Como é chata mamãe com esse russo!

Paola tinha ciúme até de Miranda. Dizia-lhe: — Vai sempre à Miranda! Nunca vem à minha casa!

Miranda tinha tido um menino, que recebeu o nome de Vittorio. Nessa mesma época, Paola tivera uma menina.

Paola dizia que o menino de Miranda era feio. — Tem traços feios, grosseiros — dizia. — Parece filho de um ferroviário.

Agora, quando minha mãe ia ver o menino de Miranda, dizia:

— Vou ver como está o ferroviário!

Minha mãe gostava de todas as crianças pequenas. Gostava também das babás.

As babás lembravam-lhe o tempo em que seus filhos eram pequenos. Tivera uma coleção de babás, amas-secas e amas de leite; tinham-lhe ensinado canções. Cantava, pela casa, e dizia:
— Essa era da babá do Mario! Essa, da babá do Gino!

O menino do Gino, Arturo, nascido no ano em que meu pai fora preso, ia passar as férias conosco, e vinha também sua babá. Minha mãe, quando a babá de Arturo estava em casa, estava sempre de prosa com ela.

Meu pai dizia:

— Você não larga das empregadas! Vem com a desculpa de olhar as crianças, e enquanto isso fica proseando com as empregadas!

— Mas é uma mulher tão simpática, Beppino! É antifascista! Pensa como a gente!

— Proíbo você de falar de política com as empregadas!

Meu pai, dos netos, só gostava do Roberto. Quando lhe mostravam um novo neto, dizia:

— Mas o Roberto é mais bonito!

Talvez, por ser Roberto o seu primeiro neto, fosse também o único que ele tinha olhado com mais atenção.

Quando chegava o tempo das férias, meu pai alugava uma casa, sempre a mesma; havia tempos, já, não queria mais mudar de lugar. Era uma enorme casa de pedras cinzentas, que dava para um prado e ficava em Gressoney, no subdistrito de Perlotoa.

Vinham conosco os filhos da Paola, o filho de Gino; mas o

filho de Alberto, o ferroviário, era levado a Bardonecchia, porque Elena, a irmã de Miranda, tinha uma casa lá.

Meu pai e minha mãe, não sei por quê, desprezavam Bardonecchia. Diziam que ali não fazia sol, e que era um lugar horrível. A dar-lhes ouvidos, parecia que era uma privada.

Meu pai dizia: — Essa Miranda é uma grande parva! Podia vir para cá. O menino, com certeza, estaria melhor aqui do que em Bardonecchia.

E minha mãe dizia: — Coitado do ferroviário!

O menino voltava de Bardonecchia muitíssimo bem. Era um menino muito bonito, sadio e loiro. Não parecia de modo nenhum um ferroviário.

Meu pai dizia:

— Não está nada mal. Engraçado, Bardonecchia não lhe fez mal.

Em alguns anos, tínhamos ido a Forte dei Marmi, porque Roberto precisava dos ares marinhos. Mas meu pai ficava pouco à vontade na praia. Punha-se a ler debaixo do guarda-sol, vestido como na cidade: bravo, porque não gostava das pessoas em trajes de banho. Minha mãe tomava banho, porém no raso, pois não sabia nadar: e, uma vez na água, esbaldava-se, pegava as ondas. Mas depois, voltando a sentar ao lado de meu pai, também se sentia amuada. Tinha ciúme da Paola, que se mandava remando um bote, em alto-mar, e nunca voltava.

À noite, Paola ia dançar na Capannina. E meu pai dizia:

— Vai dançar todas as noites? Que burra!

Na montanha, ao contrário, na casa de Perlotoa, meu pai estava sempre contente; e assim minha mãe também. Paola ou Piera só apareciam para breves visitas: só as crianças ficavam. Com as crianças, com a Natalina e as babás, minha mãe passava muito bem.

Eu também ia e morria de tédio nessas temporadas. E na

casa vizinha à nossa ficavam o Lucio e a Frances. Iam jogar tênis no povoado, todos vestidos de branco.

E lá estava também a Adele Rasetti, num hotel do lugarejo: sempre igual, pequena, magra, idêntica ao filho no rosto verde e tenso de olhos penetrantes como pontas de alfinete. Recolhia insetos em seu lenço e colocava-os num torrão de musgo no peitoril da janela.

Minha mãe dizia:

— Como eu gosto da Adele!

O filho dela agora trabalhava em Roma, com Fermi, e era um físico famoso.

Meu pai dizia: — Eu sempre disse que Rasetti é muito inteligente. Mas é árido! Muito árido!

A Frances vinha sentar-se na planície num banquinho, ao lado de minha mãe: trazia ainda a raquete dentro do estojo, e um elástico branco atado na testa. Falava de sua cunhada que estava na Argentina, a mulher do tio Mauro, e dizia, imitando-a:

— *Commo* não!

Meu pai dizia-lhe:

— Lembra-se de quando, na mocidade, íamos passear com a Paola Carrara, e a Paola Carrara chamava as fendas de "Aqueles buracos onde a gente cai dentro"?

E minha mãe dizia:

— E você se lembra de quando Lucio era pequeno, e nós lhe explicamos que nunca se deve dizer que se está com sede nos passeios, e ele dizia: "Estou com sede, mas não falo"?

E a Frances dizia:

— *Commo* não?

— Lidia, não arranque as cutículas! — trovejava meu pai de vez em quando. — Não seja malcriada!

— Um pouco com a Frances, um pouco com a Adele Rasetti — dizia minha mãe —, os dias vão passando!

Mas quando a Paola vinha ver seus filhos, minha mãe tornava-se logo irrequieta e descontente. Andava atrás da Paola o tempo todo, ficava olhando quando ela tirava para fora seus potes de creme para a pele. Minha mãe também tinha muitos cremes para a pele, os mesmos; mas nunca se lembrava de usá-los.

— Você está com a pele toda rachada — Paola dizia —, cuide um pouco da pele. Precisa passar um bom creme nutriente todas as noites.

Na montanha, minha mãe usava saias pesadas e felpudas; e a Paola lhe dizia:

— Você se veste muito à suíça!

— Que tristeza estas montanhas! — dizia a Paola. — Não as suporto!

— Todos minerais! — dizia-me depois, lembrando a brincadeira que costumávamos fazer com Mario. — A Adele Rasetti é um mineral puro, mesmo. Não sou mais boa companhia para gente tão mineral!

Partia alguns dias mais tarde; e meu pai dizia-lhe: — Por que não fica mais um pouco? Como você é burra!

No outono, eu e minha mãe fomos visitar Mario, que agora morava num vilarejo perto de Clermont-Ferrand. Era professor num colégio.

Fizera amizade com o diretor do colégio e sua mulher. Dizia que eram pessoas extraordinárias, cultíssimas, honestas, como só se encontram na França.

No colégio tinha um quartinho com uma estufa a carvão. Via-se, pelas janelas, o campo coberto de neve. Mario escrevia longas cartas, para Paris, para Chiaromonte, para Cafi. Traduzia Heródoto e brigava com a estufa. Usava, por baixo do paletó, um pulôver escuro de gola rulê, que a mulher do diretor lhe fizera.

Ele, em agradecimento, tinha lhe dado de presente um cestinho de costura.

No lugar todos o conheciam; ele parava para conversar com todo mundo, e o convidavam para tomar *le vin blanc** em suas casas.

Minha mãe dizia: — Como ele ficou francês!

À noite, jogava baralho com o diretor do colégio e sua mulher. Escutava suas conversas e discutia com eles sobre os sistemas de ensino. Falavam também, demoradamente, sobre a *soupe* que fora servida no jantar, se tinha muita cebola ou não.

— Como ficou paciente! — dizia minha mãe. — Que paciência ele tem com os daqui! Com a gente nunca tinha paciência, achava que éramos chatos quando estava em casa. Eu acho que esses daqui são muito mais chatos do que a gente!

E dizia: — Tem paciência só porque são franceses!

No fim do inverno, Leone Ginzburg voltou a Turim da penitenciária de Civitavecchia, onde tinha cumprido a pena. Estava com um paletó muito curto, um chapéu puído: o chapéu colocado meio torto sobre a cabeleira negra. Caminhava sem pressa, com as mãos nos bolsos: e perscrutava ao seu redor com os olhos negros e penetrantes, os lábios apertados, a testa franzida, os óculos de aro de tartaruga preto, escorregando no nariz grande.

Foi morar, com a irmã e a mãe, numa pensão lá pelos lados do Corso Francia. Estava em liberdade vigiada: isto é, devia voltar para casa logo que escurecia, e policiais vinham verificar se estava em casa.

Passava as noitadas com Pavese; eram amigos havia muitos

---

* Em francês: "o vinho branco".

anos. Pavese tinha acabado de voltar do confinamento e, nessa época, andava muito triste, por ter sofrido uma desilusão amorosa. Ia à casa de Leone todas as noites; pendurava seu cachecol lilás e seu casaco de martingale no cabide e sentava-se à mesa. Leone ficava no sofá, apoiando-se com o cotovelo na parede.

Pavese explicava que não ia lá por coragem, porque coragem ele não tinha nenhuma; e nem mesmo por espírito de sacrifício. Ia porque, do contrário, não saberia como passar as noites; e não dava conta de passá-las sozinho.

E explicava que não ia para ouvir falar de política, porque ele estava "se lixando" para a política.

Às vezes fumava cachimbo, a noite inteira, em silêncio. Às vezes, enrolando os cabelos nos dedos, contava casos de sua vida.

Leone tinha uma capacidade de ouvir incomensurável e infinita; e sabia ouvir os casos alheios com profunda atenção, mesmo quando estava profundamente absorto, pensando em si mesmo.

Depois vinha a irmã de Leone trazer o chá. Ela e a mãe ensinaram Pavese a dizer em russo: — Eu gosto de chá com açúcar e limão.

À meia-noite, Pavese apanhava o cachecol do cabide, ajeitava-o depressa em volta do pescoço e apanhava o casaco. Ia descendo o Corso Francia, alto, pálido, com a gola levantada, o cachimbo apagado entre os dentes brancos e fortes, o passo largo e rápido, o ombro encolhido.

Leone permanecia de pé mais um tempo, junto à estante, tirava um livro, punha-se a folheá-lo e ali ficava lendo como que ao acaso, demoradamente, com as sobrancelhas franzidas. Ficava assim, lendo como que ao acaso, até as três.

Leone começou a trabalhar com um editor seu amigo. Eram apenas ele, o editor, um ajudante de tesoureiro e uma datilógrafa, que se chamava senhorita Coppa. O editor era moço, rosado, tímido, e corava com frequência. Mas, quando chamava a datilógrafa, soltava um urro selvagem:

— Coppaaa!

Tentaram convencer Pavese a trabalhar com eles. Pavese recalcitrava. Dizia:

— Estou pouco me lixando!

Dizia: — Não preciso de um salário. Não preciso sustentar ninguém. Para mim basta um prato de sopa, e o tabaco.

Era substituto num liceu. Ganhava pouco, mas lhe bastava.

Também fazia traduções do inglês. Traduzira *Moby Dick*. Tinha traduzido, dizia, por puro prazer; e tinha recebido pela tradução, mas a teria feito a troco de nada, aliás, teria até pago para poder traduzi-lo.

Escrevia poemas. Seus poemas tinham um ritmo longo, arrastado, indolente, uma espécie de cantilena amarga. O mundo de seus poemas eram Turim, o Pó, as colinas, a névoa e as hospedarias de fronteira.

No fim ele se convenceu, e também começou a trabalhar com Leone nessa pequena editora.

Tornou-se um funcionário caprichoso, meticuloso, resmungando contra os outros dois que de manhã chegavam tarde e às vezes saíam às três para o almoço. Ele seguia um horário diferente: chegava cedo e saía à uma em ponto: porque à uma, a irmã com quem morava punha a sopa na mesa.

Leone e o editor brigavam de vez em quando. Passavam alguns dias sem se falar. Depois trocavam longas cartas, e desse modo reconciliavam-se. Pavese, ele, estava "pouco se lixando para isso".

A verdadeira paixão de Leone era a política. No entanto, além dessa vocação essencial, tinha outras paixões, a poesia, a filologia, a história.

Tendo chegado à Itália criança ainda, falava o italiano como o russo. Porém, em casa, falava sempre em russo, com a irmã e a mãe. Eles saíam pouco e nunca viam ninguém; e ele contava nos mínimos detalhes sobre cada coisa que fizera e sobre cada pessoa que encontrara.

Antes de ser preso, gostava de frequentar os salões. Era um conversador brilhante, embora falasse com uma leve gagueira; e, apesar de sempre profundamente absorto a pensar e a fazer coisas sérias, estava, no entanto, disposto a acompanhar as pessoas nos mexericos mais fúteis; como era curioso em relação às pessoas e dotado de uma excelente memória, acolhia até as coisas mais fúteis.

Mas, quando saiu da prisão, não foi mais convidado para os salões, e, aliás, as pessoas fugiam dele: porque já era conhecido em Turim como um perigoso conspirador. Isso não o incomodava nem um pouco; parecia ter-se esquecido completamente desses salões.

Casamo-nos, Leone e eu; e fomos morar na casa da Via Pallamaglio.

Meu pai, quando minha mãe lhe dissera que Leone queria casar comigo, fizera o escarcéu de sempre, o mesmo que costumava fazer quando um de nós se casava. Dessa vez não disse que ele era feio. Disse:

— Mas não tem uma situação estável!

De fato, Leone não tinha uma situação estável; aliás, sua situação era muito incerta. Podiam detê-lo e aprisioná-lo de novo; podiam, com um pretexto qualquer, mandá-lo para o confinamento. Porém, se o fascismo terminasse, disse minha mãe, Leone se tornaria um grande político. Além disso, a pequena editora em que trabalhava, apesar de muito pequena e pobre, era ao mesmo tempo fértil em energias promissoras.

Disse minha mãe:

— Publicam até os livros de Salvatorelli!

O nome de Salvatorelli, para meu pai e para minha mãe, era dotado de poderes mágicos. Meu pai, ao ouvir esse nome, tornava-se benévolo e dócil.

Casei-me; e logo depois disso, falando de mim a estranhos, meu pai dizia: "minha filha Ginzburg". Porque ele estava sempre pronto a definir as mudanças de situação, e costumava dar logo o sobrenome do marido às mulheres que se casavam. Tinha dois assistentes, um homem e uma mulher que se chamavam, ele Olivo, e ela Porta. Olivo e Porta se casaram mais tarde. No entanto, continuávamos a chamá-los de "Olivo e Porta", e meu pai toda vez esbravejava: — Não é mais a Porta! É a Olivo!

O filho de Giua, aquele rapaz pálido, de olhos vivos, que em Paris estava sempre com Mario, tinha morrido na Espanha, em combate. O pai dele, preso em Civitavecchia, corria o risco de ficar cego, por causa de um tracoma.

A senhora Giua vinha sempre visitar minha mãe: tinham-se conhecido na casa da Paola Carrara e tornaram-se amigas. Decidiram tratar-se com mais intimidade; minha mãe, porém, continuou a chamá-la, como antes, de "senhora Giua"; dizia-lhe: — Você, senhora Giua — porque começara assim e achava difícil mudar.

A senhora Giua vinha com a filha, chamada Lisetta, que era sete anos mais nova que eu.

Lisetta era idêntica ao irmão Renzo; alta, magra, pálida, empertigada, com os olhos vivos, com os cabelos curtos e um topete na testa. Andávamos juntas de bicicleta; e contou-me que de vez em quando via um antigo colega de escola de seu irmão Renzo no liceu D'Azeglio, que vinha visitá-la e emprestava-lhe os livros de Croce, e era muito inteligente.

Foi assim que ouvi falar de Balbo pela primeira vez. Era um

conde, disse-me Lisetta. Certa vez mostrou-me o rapaz na rua, no Corso Umberto, baixo, com o nariz vermelho. Muitos anos mais tarde, Balbo se tornaria meu melhor amigo: mas, naquela época, certamente, eu não sabia disso: e olhei sem o menor interesse para o pequeno conde, que emprestava a Lisetta os livros de Croce.

Às vezes, via passar no Corso Re Umberto uma moça que eu achava odiosa e lindíssima, com um rosto como que entalhado no bronze, um narizinho aquilino que cortava o ar, os olhos entreabertos, o andar lento e desdenhoso. Perguntei a Lisetta se sabia quem era. — Essa aí — disse-me a Lisetta — é uma do D'Azeglio, que leva jeito para montanhista e que se dá muita importância. — É odiosa — eu disse —, odiosa, e muito bonita. — A moça odiosa morava numa travessa da avenida, num andar térreo; e, às vezes, no verão, eu a via debruçada na janela, olhando-me com os olhos entreabertos, os lábios desdenhosos e descontentes, os cabelos castanhos cortados à pajem, rodeando as faces de bronze, a expressão entediada e misteriosa.

Disse a Lisetta: — Tem uma cara boa para levar uns tapas!

Por muitos anos, quando estive longe de Turim, levei dentro de mim a imagem dessa cara boa para uns tapas; e quando mais tarde disseram-me que a "cara boa para uns tapas" estava empregada na editora, e que trabalhava com Pavese e com o editor, fiquei surpresa com o fato de uma moça tão soberba e desdenhosa ter-se dignado a descer entre pessoas tão humildes e próximas a mim. Soube depois que fora detida, num grupo de conspiradores; e fiquei mais surpresa ainda. Mas se passariam ainda alguns anos antes que nos reencontrássemos; e antes que ela, a "cara boa para uns tapas", se tornasse minha amiga mais querida.

Lisetta, além de ler os livros de Croce, lia também os romances de Salgari. Estava então com catorze anos: ou seja, uma idade em que a pessoa vai e vem, contínua e incessantemente, entre a maturidade e a infância. Eu lera os romances de Salgari e me esquecera deles: e Lisetta contava-os para mim, quando, pousadas as bicicletas na relva, sentávamos para descansar no campo. Em seus sonhos e em suas conversas misturavam-se marajás indianos, flechas envenenadas, os fascistas e aquele pequeno conde chamado Balbo, que vinha visitá-la aos domingos, trazendo-lhe os livros de Croce; e eu a escutava entre divertida e distraída. Quanto a mim, de Croce eu não tinha lido nada, a não ser *La Letteratura della Nuova Italia*: ou melhor, lera na *Letteratura della Nuova Italia* os resumos dos romances e as citações. Entretanto, aos treze anos, eu tinha escrito uma carta a Croce, e mandado alguns poemas meus: e ele respondera, com muita gentileza, explicando-me delicadamente que meus poemas não eram lá muito bons. Eu tomava muito cuidado para não confessar a Lisetta que desconhecia os livros de Croce, porque não queria decepcioná-la, dada a estima que ela me dedicava; e consolava-me o pensamento de que, se eu não tinha lido Croce, Leone, porém, lera-o todinho, de cabo a rabo.

O fascismo não estava com cara de acabar logo. Aliás, não está com cara de acabar nunca.

Em Bagnole de l'Orne, os irmãos Rosselli tinham sido mortos.

Havia anos Turim estava cheia de judeus alemães, fugidos da Alemanha. Até meu pai, em seu laboratório, tinha alguns deles, como assistentes.

Eram os sem-pátria. Talvez, dentro em pouco, nós também estaríamos entre os sem-pátria, obrigados a andar de um lugar para outro, de uma delegacia para outra, sem trabalho e sem raízes, sem família e sem casas.

Alberto me perguntou, depois de algum tempo que eu estava casada:

— Você se sente mais rica ou mais pobre, agora que está casada?

— Mais rica — disse.

— Eu também! E pensar que, ao contrário, somos muito mais pobres!

Eu comprava as coisas para comer e achava que tudo custava barato. Estava surpresa, porque sempre ouvira dizer que os preços eram altos. Só que às vezes, antes do fim do mês, pegava-me sem um tostão, tendo gastado, de trinta em trinta centavos, todo o dinheiro que tinha.

Ficava contente, então, quando alguém nos convidava para almoçar. Mesmo que fossem pessoas que não me agradavam. Ficava contente de poder comer, de vez em quando, comidas imprevistas e gratuitas, e que eu não tinha nem pensado, nem comprado, nem visto fazer.

Tinha uma empregada, chamada Martina. Achava-a uma simpatia. Porém, pensava:

"Será que faz a limpeza direito? Será que tira o pó direito?".

Na minha total inexperiência, não conseguia saber se minha casa estava limpa ou não.

Quando ia visitar a Paola ou minha mãe, via, na casa delas, roupas penduradas no quarto de passar, para serem escovadas e para terem suas manchas tiradas com benzina. Logo, perguntava-me preocupada: "Será que a Martina escova nossas roupas de vez em quando e tira-lhes as manchas?". Na cozinha de casa havia uma escova e até um frasco de benzina, tapado com um trapo; mas o tal frasco estava sempre cheio, nunca via Martina usá-lo.

Às vezes, tinha vontade de dizer a Martina que fizesse grandes faxinas em casa: como via fazer na casa de minha mãe quando a Natalina, com um turbante na cabeça como um pirata, virava os móveis de pernas para o ar e os espancava com o batedor de tapetes. Mas nunca achava o momento certo de dar as ordens à Martina; era tímida com a Martina, a qual, por sua vez, era extremamente tímida e doce.

Ao encontrá-la no corredor, trocávamos longos e afetuosos sorrisos. Mas adiava de um dia para o outro o propósito de sugerir-lhe grandes faxinas. Por outro lado, não ousava dar-lhe qualquer ordem, eu que, quando moça, em casa de minha mãe, dava ordens com indiferença, expressava minha vontade a toda hora. Lembrava que quando estávamos em férias na montanha, todas as manhãs, eu mandava trazer ao quarto grandes baldes e jarros de água quente, porque lá não havia banheira e eu me lavava no quarto numa espécie de semicúpio. Meu pai recomendava que nos lavássemos com água fria; mas nenhum de nós, exceto minha mãe, tinha o hábito de lavar-se com água fria, aliás, todos os filhos tinham ódio de água fria, desde a mais remota infância, por espírito de contradição. Agora, eu me surpreendia com o fato de ter sido capaz de obrigar a Natalina a esquentar a água no fogão a lenha e a subir as escadas com aqueles baldes enormes. Não teria me atrevido a ordenar à Martina que me trouxesse nem mesmo um copo de água. Descobrira de repente, ao me casar, o cansaço e o trabalho: e disso me viera uma preguiça, que amolecia minha vontade e endurecia, no meu pensamento, as pessoas que me rodeavam; motivo pelo qual não sonhava com outra coisa ao meu redor a não ser com uma inércia absoluta; e esforçava-me para ordenar a Martina que, para o almoço, fizesse pratos de preparo rápido e que sujassem poucas panelas. Descobrira o dinheiro também: não que me tivesse tornado avarenta — sempre fui mão-furada, como minha mãe —, mas distinguira, por trás das coisas, a presença do dinheiro como uma complicação trabalhosa e tortuosa, que na pegada dos trinta centavos podia levar sabe-se lá onde, a um destino desconhecido; e disso também eu tirava uma sensação de cansaço, de preguiça e de languidez. Ao mesmo tempo, quando tinha dinheiro na mão, não deixava de gastá-lo imediatamente, arrependendo-me em seguida por tê-lo gastado.

Na minha adolescência, tive três amigas. Em família, minhas amigas eram chamadas de "as frescas". "As frescas", na linguagem de minha mãe, significavam mocinhas dengosas e com roupas cheias de babados. Essas minhas amigas, eu achava, não eram tão dengosas, nem usavam tantos babados assim: mas minha mãe chamava-as desse modo, referindo-se ao tempo de minha infância e a certas meninas dengosas e pretensiosas que talvez então costumassem brincar comigo. — Onde está a Natalia? — Está com as frescas! — dizia-se sempre em família. Eu tinha essas amigas desde os tempos do liceu; e, antes de me casar, passava os dias com elas. Eram pobres. Aliás, o que me atraía nelas, talvez, era justamente a pobreza, que eu não conhecia, mas que amava e teria gostado de conhecer. Depois de casada, continuei frequentando as três moças, mas um pouco menos, e deixando passar dias e dias sem procurá-las, coisa que elas costumavam censurar, mesmo compreendendo que era inevitável que assim fosse. Entretanto, vê-las de vez em quando me alegrava e me devolvia por um instante à minha adolescência, que eu sentia fugir às minhas costas.

Essas minhas três amigas, por razões diferentes, viviam em aberto desacordo com a sociedade. A sociedade, aos olhos delas, configurava-se na vida fácil, ordenada, burguesa, feita de horários regulares, de tratamentos reconstituintes, de estudos sistemáticos e controlados em família. Eu, antes de casar, levava essa vida fácil, desfrutava seus muitos privilégios; mas não gostava dela e aspirava sair disso. Procurava na cidade, com essas minhas amigas, os lugares mais tristes para nossos encontros:

os jardins públicos mais desolados, as leiterias mais miseráveis, os cinemas mais sujos, os cafés mais despojados e desertos; no fundo daquelas penumbras esquálidas ou nos bancos frios, sentíamo-nos como que numa nave que tivesse rompido as amarras e navegasse à deriva.

Duas das "frescas" eram irmãs, e moravam sozinhas com um pai velho, que tinha sido muito rico no passado, arruinara-se e vivia às voltas com os advogados devido a uma causa. Sempre absorto na escrita de longos memoriais, e no vaivém atarefado entre Turim e Sassi e entre Sassi e Turim, tendo ainda uma pequena propriedade em Sassi, preparava complicados pratos judaicos de que as filhas não gostavam, esse velho pai vivia na mais completa ignorância do que suas filhas faziam, as quais, por outro lado, não faziam nada de extraordinário, tendo criado para elas um código de vida no qual a autoridade paterna, constituída apenas de alguns gritos ocasionais e lamurientos, não tinha o menor peso. Eram duas moças altas, bonitas, morenas e sadias; uma era preguiçosa e estava sempre deitada na cama, a outra era enérgica e decidida: a preguiçosa tratava o pai com uma intolerância bonachona; a outra tratava-o com uma intolerância cortante e desdenhosa.

A preguiçosa tinha olhos amendoados de árabe, cachos negros e macios e uma tendência à obesidade, um grande amor pelos penduricalhos e os brincos; e, embora afirmasse execrar sua obesidade, nada fazia para combatê-la, e era profundamente alegre e serena em sua obesidade; e costumava dizer de si, com um sorriso que lhe descobria os dentes alvos, grandes e salientes nos lábios: — *Nigra sum, sed formosa.** — A outra era magra e queria ser mais magra ainda, examinando preocupada no espelho suas pernas que eram fortes como colunas; porque, em sua magreza conquistada com força de vontade, tinha quadris robustos e uma

---

* Em latim: "Sou morena, mas sou formosa!" (Cântico dos Cânticos 1,5).

ossatura sólida e prepotente. Se tinha um encontro com um rapaz de seu interesse, jejuava na refeição, ou comia apenas uma maçã, porque fazia os próprios vestidos e fazia-os tão apertados que tinha medo de que se rasgassem se comesse uma refeição inteira. Dedicava aos vestidos uma atenção meticulosa e nervosa, cenho franzido e boca cheia de alfinetes, e desejava que fossem o mais simples e sóbrios possível, detestando na irmã, além da obesidade, também a tendência para vestir-se com sedas vistosas.

O pai, toda vez que saía, costumava deixar em cima da mesa da cozinha longas cartas de reclamações, escritas com sua caligrafia cartorial pontuda e inclinada, contra a empregada "que recebera o noivo com a gentileza de meio melão desaparecido que verifiquei hoje à tarde", ou contra a camponesa de Sassi, que, por desleixo, deixara morrer uns coelhos "pequenos e lindos", ou contra uma vizinha de casa, que, ofendida por causa de uma colcha que eles tinham pedido emprestado e devolvido chamuscada, "censurara-o, e ele não tivera nenhuma desculpa para dar".

As moças frequentavam judeus alemães refugiados, com os quais, às vezes, dividiam aqueles manjares obscuros, que o pai costumava cozinhar e deixar na cozinha, em frigideiras largas e pretas. Na casa deles, eu encontrava, às vezes, esses estudantes que viviam o dia a dia e não sabiam o que iriam fazer no mês seguinte, se conseguiriam partir para a Palestina ou se iriam ter com algum primo desconhecido na América. O fascínio que exercia sobre mim essa casa sempre aberta a todos, com o corredor estreito e escuro onde se tropeçava na bicicleta do pai, com a salinha de visitas atulhada de móveis pomposos e gastos, de castiçais hebraicos e de pequenas maçãs vermelhas da propriedade de Sassi, espalhadas pelo chão sobre os tapetes puídos, era profundo e constante. Encontrava-se, às vezes, o velho pai nas escadas ou no corredor, sempre absorto em suas tramas de advogados e papéis timbrados, e sempre ocupado em transportar, subindo e descendo as escadas, sacolas cheias de maçãs e pimentões: costumava conversar conosco sobre sua causa, em piemontês, alisando a barba grisalha inculta e enxugando por baixo do chapéu a fronte nobre de velho profeta; enquanto as filhas, impacientes, diziam-lhe que fosse para o seu quarto.

Naquela casa, habitualmente, revezavam-se empregadas espectrais e idiotas, às quais, entretanto, não era permitido cozinhar porque o pai queria reinar sozinho sobre as iguarias; e como nem sequer lhes fosse permitido varrer a sala, por causa dos casticais hebraicos que podiam quebrar, e por causa das maçãs que podiam roubar, não dava para saber direito o que estivessem fazendo lá. Por outro lado, cada uma delas era despedida algumas semanas mais tarde e substituída por outra, não menos idiota e espectral.

A casa ficava na Via Governolo. Foi destruída na guerra, eu fui vê-la quando voltei a Turim depois da guerra, e não passava de um monte de ruínas no velho quintal, e das escadas desmoronadas restava apenas o corrimão, lá onde o velho pai subia e descia com a bicicleta e as sacolas. O velho pai morrera havia tempos, durante a guerra, mas antes da Ocupação alemã. Adoecera e dera entrada no hospital israelita, levando consigo um frango, com a esperança de que o deixassem prepará-lo. Morrera só, porque as filhas, uma estava na África, onde tinha se casado, e a outra, a decidida, estava em Roma, estudando direito.

Minha outra amiga chamava-se Marisa e morava no Corso Re Umberto, mas no fim, num ponto em que a avenida formava uma espécie de largo gramado, onde terminavam as alamedas e ficavam os terminais dos bondes. Era pequena e graciosa, não parava de fumar e de fazer uns gorrinhos bonitos de tricô, que depois vestia com muita graça na cabeça ruiva e encaracolada. Tricotava pulôveres também. — Vou fazê um pulôveu bonito pa mim, —

dizia com sua pronúncia blesa, e tinha uma grande variedade desses "pulôveus bonitos" de gola rulê, que usava por baixo do casaco de camelo. Tivera uma infância rica, passando temporadas em estações climáticas e hotéis de luxo, e dançando, quase menina ainda, nos estabelecimentos balneários. Depois, sua família sofrera uma derrocada econômica. Daquela vida próxima, mas passada, ela guardava uma lembrança ao mesmo tempo afetuosa e irônica, completamente desprovida de amargura ou de saudade. Tinha uma natureza indolente, confiante e serena.

Marisa, durante a Ocupação alemã, foi *partigiana* e demonstrou uma coragem extraordinária, difícil de imaginar na mocinha indolente e frágil que sempre fora. Mais tarde tornou-se funcionária do Partido Comunista e devotou a própria vida ao partido, mas permanecendo à sombra, porque era desprovida de qualquer ambição, e modesta, humilde e generosa. Só falava dos problemas do partido, dizia "o pautido" com sua pronúncia blesa, e o dizia com o mesmo acento de expectativa serena e confiante com que dizia: — Vou fazê um pulôveu bonito pa mim. — Jamais quis se casar porque jamais um homem pareceu-lhe coincidir com o ideal de homem que tinha e mantinha durante todo o tempo, um homem que não sabia descrever, mas cujos traços eram inconfundíveis em sua imaginação.

Essas minhas três amigas eram judias. Na Itália, a campanha racial começou; mas elas, frequentando os judeus estrangeiros, inconscientemente, tinham-se preparado para um futuro de incerteza. Por outro lado, eram despreocupadas o suficiente para aceitar semelhante situação sem sombra de pânico. Estávamos ainda na universidade, mas, tirando a enérgica e decidida, estudávamos sem ordem e sem empenho.

Quanto ao velho pai das minhas duas amigas da Via Governolo, no início da campanha racial, recebeu um formulário onde estava escrito "notificar condecorações e méritos especiais". Respondeu assim:

"Fiz parte, em 1911, do clube dos '*rari nantes*', e mergulhei no Pó em pleno inverno".

"Por ocasião de certos trabalhos realizados em minha casa, o engenheiro Casella nomeou-me mestre de obras."

Minha mãe não tinha ciúme dessas minhas amigas, como sempre tinha das amigas da Paola. Minha mãe, quando me casei, não sofreu, como tinha chorado e sofrido quando a Paola se casara. Minha mãe não tinha comigo uma relação de igual para igual, mas tinha uma relação maternal e protetora; e não sentiu minha falta em casa, um pouco porque eu, como vivia dizendo, "não lhe dava corda", e um pouco porque, tendo envelhecido, já tinha se conformado com o vazio que os filhos deixam quando se vão, e protegera e acolchoara sua vida de modo a não sentir tanto o choque dessa separação.

Parecia que os únicos otimistas que tinham sobrado no mundo eram Adriano e minha mãe. Paola Carrara, toda amuada em sua salinha, ainda convidava Salvatorelli, à noite, esperando dele, inutilmente, palavras de esperança. Mas Salvatorelli aparecia sombrio, todos estavam cada vez mais sombrios e mais tétricos, não se diziam palavras de esperança, pairava ao redor um medo obscuro.

Entretanto, Adriano sabia "por um informante seu" que o fascismo estava com os dias contados. Minha mãe, ao ouvi-lo, alegrava-se, batia palmas; mas, às vezes, desconfiava que o tal informante, na realidade, fosse uma quiromante. Adriano costumava consultar certas quiromantes, tinha uma em cada cidade por onde passava; e dizia que algumas eram excelentes, tinham adivinhado coisas de seu passado, algumas até "liam o pensamento". De resto, Adriano achava bastante normal que as pessoas "lessem o pensamento"; falava de algo que seu pai sabia, perguntavam-lhe como ficara sabendo, "leu o pensamento", respondia com tranquilidade. Minha mãe recebia Adriano sempre com a mais viva alegria, porque gostava dele, e porque sempre esperava dele notícias que alimentassem seu próprio otimismo; Adriano, de fato, costumava prever para todos nós o mais alto e afortunado destino. Leone, dizia, iria se tornar uma grande figura do governo. — Que maravilha! — dizia minha mãe, juntando as mãos, e como se a coisa já tivesse acontecido. — Será Presidente do Conselho! E Mario? — perguntava. — O que Mario será? — Para Mario, Adriano tinha projetos mais modestos. Não tinha grande simpatia por Mario, dizia que tinha demasiado espírito crítico, e ele também achava que Mario fizera mal em afastar-se do grupo dos Rosselli. E quem sabe, inconscientemente, guardava-lhe rancor por ter-se empregado na fábrica, muitos anos antes, para de repente conspirar, ser detido e fugir. — E Gino? E Alberto? — continuava perguntando minha mãe, e Adriano pacientemente prognosticava.

Minha mãe não acreditava em quiromantes; porém, toda manhã, enquanto tomava o café, de roupão, na sala de jantar, jogava muita paciência. Dizia: — Vamos ver se Leone se torna um grande homem de governo. — Vamos ver se Alberto se torna um grande médico. — Vamos ver se alguém me dá de presente uma bela casinha de campo. — Quem deveria dar-lhe uma bela casinha de campo, não ficava muito claro; não meu pai, certamente, que vivia cada vez mais preocupado com o dinheiro e achava novamente que tinha muito pouco, agora que fora desencadeada a campanha racial. — Vamos ver se o fascismo dura muito tempo — dizia minha mãe, embaralhando as cartas e sacudindo os cabelos grisalhos, sempre ensopados de água pela manhã, e servindo-se de mais café.

No início da campanha racial, os Lopez tinham partido para a Argentina. Todos os judeus que conhecíamos partiam, ou se preparavam para partir. Nicola, irmão de Leone, emigrara para a América com a mulher. Tinham lá um tio, o tio Kahn; um velho tio que nunca tinham visto mais gordo, porque partira da Rússia ainda menino. Às vezes, Leone e eu falávamos em ir também "à América, na casa do tio Kahn". Porém, tinham apreendido nossos passaportes, o dele e o meu. Ele perdera a cidadania italiana, tornara-se apátrida. — Se tivéssemos o passaporte Nansen — eu dizia sempre. — Se tivéssemos o passaporte Nansen! — Era um passaporte especial, concedido a certos apátridas importantes. Uma vez ele fizera alusão a esse passaporte. Ter o passaporte Nansen parecia-me a melhor coisa do mundo: contudo, nem ele nem eu teríamos querido sair da Itália. Ele, quando talvez ainda lhe tivesse sido possível partir, recebera uma oferta para trabalhar em Paris, no grupo que fora de Rosselli. Tinha recusado. Não queria se tornar um emigrado, um exilado.

Entretanto, pensávamos nos exilados de Paris como em seres maravilhosos, prodigiosos, e achávamos extraordinário o fato de que lá qualquer um podia encontrá-los na rua, tocá-los, apertar-lhes a mão. Não via Mario fazia anos, não sabia quando tornaria a vê-lo. Até ele fazia parte dessa multidão maravilhosa. Havia também Garosci, Lussu, Chiaromonte, Cafi. Exceto Chiaromonte, que conhecera na casa de praia da Paola, os outros eu nunca tinha visto. — Que tal o Garosci? — perguntava a Leone. Paris estava lá, não muito longe, eu pensava, andando no Corso Francia: pensava que se encontrasse justamente no fim do Corso Francia, atrás dos montes, naquele véu de nuvenzinhas azuis. E, no entanto, um abismo separava-nos de Paris.

Tão inatingíveis e prodigiosos pareciam-nos também os que estavam presos: Bauer e Rossi, Vinciguerra, Vittorio. Pareciam cada vez mais distantes; pareciam afundar numa distância cada vez mais escura, semelhante à distância dos mortos. Será possível que num passado ainda tão próximo Vittorio caminhasse pelo Corso Re Umberto, com seu queixo saliente? Será possível que tivéssemos feito, com ele e com Mario, a brincadeira dos vegetais e dos minerais?

Meu pai também perdera a cátedra. Foi convidado a trabalhar num instituto, em Liège. Partiu, acompanhado de minha mãe.

Minha mãe passou alguns meses na Bélgica. Porém, andava muito triste, e escrevia cartas desesperadas. Em Liège chovia sempre. — Diacho de Liège! — dizia minha mãe. — Diacho de Bélgica! — Mario escreveu-lhe de Paris que Baudelaire também detestava a Bélgica. Minha mãe não gostava muito de Baudelaire, seu poeta era Paul Verlaine: mas logo se tomou de grande simpatia por Baudelaire. Meu pai, ao contrário, trabalhava bem em Liège, e até arranjara um discípulo, um jovem, que se chamava Chèvremont.

— Tirando Chèvremont e a senhoria da casa, dos belgas eu não gosto — disse minha mãe ao voltar à Itália.

Retomou então a vida de costume. Vinha me visitar, ia visitar Miranda e a Paola Carrara, e ia ao cinema. Paola, minha irmã, arrumara um apartamento em Paris, e passava lá o inverno.

— Agora que o Beppino não está e eu estou sozinha, vou fazer economia — declarava minha mãe a toda hora, sentindo-se pobre. — Comerei pouco. Uma sopinha, uma brachola, uma fruta.

Recitava esse menu todos os dias. Creio que gostasse de dizer "uma fruta", porque tirava disso uma sensação de frugalidade. No que diz respeito às frutas, costumava comprar sempre umas maçãs que, em Turim, se chamavam *carpandue*. Dizia são "*carpandue*!", como dizia de uma malha "é da Neuberg" e de um casaco: "é do senhor Belom!". Quando acontecia de meu pai reclamar das maçãs que vinham à mesa, achando que não estavam boas, minha mãe dizia surpresa: — Não estão boas? São *carpandue!*

— Por que será que eu gosto tanto de gastar? — suspirava minha mãe de vez em quando. De fato, não conseguia ater-se ao regime de economia que tinha prescrito para si mesma. De manhã, na sala de jantar, fazia as contas com a Natalina, depois das paciências; e brigavam ambas, pois a Natalina também gostava de gastar, tinha as mãos furadas. A Natalina, ao fazer a comida, dizia minha mãe, fazia até para os pobres da paróquia.

— Ontem você fez um prato de carne que dava até para os pobres da paróquia comerem! — dizia. — Se faço pouco a senhora me dá bronca, se faço muito dá bronca do mesmo jeito, ontem a senhora me disse que ele, a Tersilla, também vinha — dizia a Natalina, movendo os lábios grossos e gesticulando agitada. — Fique quieta! Pare com as mãos! Está com o avental sujo, por que não troca, com o monte de aventais que eu lhe comprei, que dá até para os pobres da paróquia.

— Ah, pobre Lidia — suspirava minha mãe, embaralhando as cartas e servindo-se novamente de café.

— Você me fez um café aguado, não podia fazer um mais forte? — É a cafeteira que não é boa. Se a senhora me comprar outra cafeteira, já falei mais de mil vezes, essa tem os buracos grandes demais, passa muito depressa, em vez disso, ela tem que passar devagar, ela, o café, é delicado.

— Como eu gostaria de ser um rei criança — dizia minha mãe com um suspiro e um sorriso, porque as coisas que mais a encantavam no mundo eram o poder e a infância, mas gostava delas combinadas juntas, de modo que a segunda mitigasse a primeira com sua graça, e a primeira enriquecesse a segunda com a autonomia e o prestígio. — Mas olhe que "veia" feia eu me tornei! — dizia, ajeitando o chapéu na frente do espelho, chapéu que colocava simplesmente porque o tinha comprado e custava caro, mas que tiraria logo na primeira esquina da rua. — Pensar que eu gostava tanto de ser jovem! Hoje me sinto com quarenta anos! — dizia à Natalina, na soleira da porta. — A senhora tem mais de quarenta, a senhora tem quase sessenta porque é seis anos mais velha que eu — dizia a Natalina, agitando a vassoura ameaçadoramente, porque costumava falar sempre num tom agitado, e com uma expressão ameaçadora. — Com esse lenço aí — dizia-lhe minha mãe —, você não parece o Luís XI. Parece o Marat. — E saía de casa.

Passava na Miranda. Miranda perambulava pela casa, cansada, pálida, com os cabelos loiros caindo no rosto; parecia ter escapado de um naufrágio.

— Mas lave o rosto com água fresca! Vamos passear! — dizia-lhe minha mãe.

Para minha mãe, a água fresca era um remédio seguro contra a preguiça, as tristezas e os maus humores. Ela mesma lavava o rosto "com água fresca" muitas vezes ao dia.

— Gasto pouco. Eu e a Natalina, sozinhas, gastamos pouco. Uma sopa, uma brachola, uma fruta — recitava minha mãe. — Imagine se você gasta pouco! Gastadeira do jeito que é! — dizia Miranda. E dizia: — Para hoje eu comprei um frango. Acho que o frango vem sempre a calhar. — Miranda dizia "o frango" com uma entonação especial, uma cantilena arrastada e nasal, que usava quando opunha os hábitos de sua casa aos da nossa, e quando experimentava uma sensação de superioridade em relação a nós. — Uma coisa é estar sozinha como você, *oltra* é ter Alberto que nunca está satisfeito — continuava Miranda, que sempre dizia *oltra* por "outra", quando queria confrontar duas situações diferentes.

Meu pai passou dois anos na Bélgica. Muitas coisas aconteceram nesses dois anos.

No começo, minha mãe ia se encontrar com ele quase sempre; mas, fora o fato de sentir-se triste na Bélgica, vivia com medo de que os acontecimentos internacionais viessem a "cortá-la" da Itália e de mim. Minha mãe tinha por mim um senso de proteção que não tinha pelos outros filhos, talvez por ser eu a caçula; e quando meus filhos nasceram, estendeu para eles também o mesmo senso de proteção. Além disso, achava sempre que eu estava em perigo, porque Leone, vez ou outra, era detido. Era detido por precaução toda vez que uma autoridade política, ou o rei, vinha a Turim. Passava três ou quatro dias na prisão, depois era solto, logo que a tal autoridade partia; e Leone voltava para casa, com as faces escuras de barba, e um embrulho de roupas-brancas embaixo do braço. — Diacho de rei! Por que não fica em casa? — dizia minha mãe. Habitualmente, o rei a fazia sorrir, e não lhe era antipático; agradava-lhe que tivesse as pernas tão curtas e tortas, e que fosse tão irritadiço. Porém, zangava-se por prenderem Leone toda vez, "por culpa desse parvo". Quanto à rainha Elena, ela a detestava. — Uma bonitona! — dizia: termo depreciativo para ela. — Uma camponesa! Uma tonta!

Meus primeiros dois filhos nasceram com um ano de distância entre um e outro, na época em que meu pai estava na Bélgica. Minha mãe, com a Natalina, deixou sua casa e veio ficar comigo.

— Estou de novo na Via Pallamaglio! — disse minha mãe. — Agora a Via Pallamaglio me parece um pouco menos feia, talvez porque compare com a Bélgica! Liège é pior do que a Via Pallamaglio!

Gostava muito de meus filhos: — Gosto dos dois e não saberia qual deles escolher — dizia, como se tivesse que escolher um. — Hoje ele está lindo! — dizia, e eu perguntava: — Qual?

— Qual? O meu! — dizia minha mãe, e eu continuava sem entender a quem estava se referindo, pois a toda hora passava sua predileção de um para outro. Quanto à Natalina, dizia "ela", falando de cada um dos meninos, pois ambos eram homens; dizia: — Não pode nem acordar ela, estranha se é acordado, aí, tem que passear com ela duas horas, porque estranha.

Como eu me cansava com as duas crianças pequenas, e a Natalina era muito estouvada e agitada para lidar com elas, minha mãe me aconselhou a arranjar uma ama-seca. Ela mesma se encarregou de escrever para umas antigas babás, com as quais ainda tinha relações, lá na Toscana; e a babá chegou, mas justamente nos dias em que os alemães tinham invadido a Bélgica, quando todos estávamos angustiados e pouco inclinados a dar atenção a uma babá, com suas exigências de aventais bordados e de saia godê. Entretanto, apesar de aflita por meu pai, de quem não tinha notícias, minha mãe achou um jeito de comprar os aventais e até de se alegrar ao ver a enorme babá toscana de saia larga e farfalhante zanzando pela casa. Eu, ao contrário, ficava profundamente incomodada com aquela babá, e tinha saudade da Martina, que voltara à sua terra na Ligúria, porque não se dava bem com a Natalina. Sentia-me pouco à vontade porque vivia com medo de perder a babá, medo de que nos considerasse, nós, com nossos hábitos modestos, indignos dela. E além disso aquela babá, enorme, com aqueles aventais todos bordados e as mangas bufantes, fazia-me lembrar a precariedade da minha situação e fazia-me lembrar que era pobre, e que, sem o auxílio de minha mãe, não poderia manter uma babá; e me parecia ser a Nancy, nos *Devoradores*, quando olha pela janela a filha caminhando na alameda, de mãos dadas com a suntuosa babá, e sabe ao mesmo tempo que perdeu no cassino todo o dinheiro que tinham.

No momento da invasão da Bélgica, nós estávamos assustados, mas confiantes ainda de que o avanço alemão se detivesse; à noite ouvíamos a rádio francesa, esperando sempre alguma notícia animadora. Nossa angústia aumentava à medida que os alemães avançavam. À noite, Pavese e Rognetta, um amigo que na época víamos com frequência, vinham à nossa casa. Rognetta era um rapaz alto e de rosto corado que, ao falar, arrastava o erre. Trabalhava não sei em que indústria, e viajava muito entre Turim e a Romênia; e nós, que levávamos uma vida caseira e sedentária, admirávamos nele o ar que tinha de quem está sempre prestes a subir no trem, ou acabado de descer de um naquele instante; e ele, consciente talvez de nossa admiração, acentuava conosco esse ar, brincava um pouco de bancar o grande homem de negócios e o grande viajante. Rognetta recolhia notícias em suas viagens. Até a invasão da Bélgica, suas notícias tinham sido sempre otimistas; depois da invasão, tingiram-se de um pessimismo negro.

Rognetta dizia que em pouco tempo a Alemanha teria não só invadido a França e certamente também a Itália, mas o mundo inteiro, por isso não restaria no mundo um palmo de terra onde sobreviver. Perguntava-me, antes de sair, como iam minhas crianças, e eu dizia que iam bem, e aí uma vez minha mãe lhe disse: — Mas o que adianta irem bem, se daqui a pouco o Hitler vem e mata todo mundo? — Rognetta era sempre muito educado e, ao sair, costumava beijar a mão de minha mãe. Naquela noite, ao beijar-lhe a mão, disse-lhe, porém, que sempre se podia ir, quem sabe, para Madagáscar. — Por que justo para Madagáscar? — perguntou minha mãe. Rognetta respondeu que da próxima vez lhe explicaria, agora não tinha tempo, precisava pegar o trem. E minha mãe, que confiava muito nele e, por outro lado, nesse período, em sua ânsia, bebia cada palavra que os outros lhe diziam, naquela noite e no dia seguinte continuava repetindo: — Vai se saber por que será justo para Madagáscar!

Rognetta nunca teve tempo de nos explicar por quê. Só tornaria a vê-lo muitos anos mais tarde; e Leone, acho que nunca tornou a vê-lo. Mussolini declarou a guerra, como esperávamos havia vários dias. Na mesma noite a babá partiu, e eu olhei com um grande alívio desaparecerem, no fim das escadas, suas costas largas, já sem o traje de babá e vestida de percal preto. Pavese veio nos visitar. Despedimo-nos dele com a ideia de que não tornaríamos a vê-lo por um bom tempo. Pavese detestava despedidas e, ao sair, despediu-se como sempre, estendendo apenas dois dedos de sua mão arredia.

Naquela primavera, Pavese costumava chegar à nossa casa comendo cerejas. Adorava as primeiras cerejas, aquelas ainda pequenas e aguadas que, dizia ele, tinham "gosto de céu". Nós o víamos pela janela aparecendo no fim da rua, alto, com seu andar rápido; comia cerejas e arremessava os caroços contra os muros com um tiro seco e fulminante. A derrota da França, para mim, ficou ligada para sempre àquelas cerejas, que Pavese, ao chegar, nos fazia experimentar, tirando uma por uma do bolso com a mão parcimoniosa e arredia.

Nós achávamos que a guerra iria virar e revirar imediatamente a vida de todos. Durante anos, ao contrário, muita gente permaneceu sem ser incomodada em sua casa, continuando a fazer o que sempre fizera. De repente, quando cada um já achava que no fundo se livrara por pouco e não haveria nenhum transtorno, nem casas destruídas, nem fugas ou perseguições, explodiram bombas e minas por toda parte e as casas desabaram, as ruas se encheram de ruínas, de soldados e de fugitivos. E não havia mais ninguém que pudesse fingir que nada estava acontecendo, fechar os olhos e tapar os ouvidos, enfiar a cabeça embaixo do travesseiro, não havia. Na Itália, a guerra foi assim.

Mario voltou à Itália em 1945. Talvez estivesse comovido e triste, mas não demonstrava; e estendeu para minha mãe que o abraçava o maxilar irônico, a testa bronzeada e sulcada por rugas irônicas. Estava agora completamente calvo, com o crânio nu e brilhante, parecendo de bronze, e vestia um casaco elegante e gasto de uma seda cinzenta que parecia forro, como esses que a gente vê nos filmes certos negociantes chineses usarem.

Fazia agora uma cara fechada e séria quando aprovava pessoas e coisas que lhe pareciam sérias, ou quando demonstrava apreciar novos romancistas ou novos poetas. Dizia de um romance: — É bom! Não é mau, é bastante bom! — (Falava sempre como se traduzisse do francês.) Abandonara Heródoto, os clássicos gregos: ou pelo menos não falava mais deles. Os romances novos de que gostava, em geral, eram os romances franceses sobre a Resistência. Mas parecia ter-se tornado mais cauteloso em suas avaliações: ou, pelo menos, era mais cauteloso em suas simpatias, não sujeito, como antigamente, a paixões repentinas. Porém, não se tornara mais cauteloso ao depreciar e condenar, e demonstrava no ódio a antiga, incontrolada violência.

Não gostava da Itália. Quase tudo na Itália parecia-lhe ridículo, fátuo, malforjado e malconstruído. — A escola na Itália dá dó! Na França é melhor! Na França não é perfeita, mas é bem melhor! É claro, aqui tem padres demais. Está tudo nas mãos dos padres!

— Quantos padres! — dizia toda vez que saía. — Quantos padres vocês têm aqui na Itália! Na França, a gente pode andar quilômetros sem encontrar um padre!

Minha mãe contou-lhe um fato acontecido com o filho de uma amiga, muitos anos antes, antes ainda da guerra e antes também da campanha racial. O menino era judeu, e fora colocado pelos pais na escola pública; porém, pediram à professora que fosse dispensado das aulas de religião. Um dia a professora não estava na classe e havia uma substituta no lugar dela, que não fora avisada, e quando chegou a aula de religião, admirou-se ao ver o menino pegar a pasta e preparar-se para sair. — Você aí, por que está saindo? — perguntou. — Estou saindo — disse o menino — porque sempre vou para casa quando há aula de religião. — E por quê? — perguntou a substituta. — Porque eu — respondeu o menino — não gosto de Nossa Senhora. — Não gosta de Nossa Senhora! — gritou escandalizada a professora. — Vocês escutaram, crianças? Não gosta de Nossa Senhora!

— Não gosta de Nossa Senhora! Não gosta de Nossa Senhora! — gritava a classe inteira, então. Os pais tinham sido obrigados a tirar o filho daquela escola.

Mario gostou imensamente dessa história. Não parava mais de se extasiar com ela e perguntava se era mesmo verdadeira. — Incrível! — dizia, batendo a mão no joelho. — Que coisa incrível!

Minha mãe ficou satisfeita de que sua história tivesse lhe agradado tanto; mas depois se cansou de ouvi-lo repetir que na França não existiam professoras assim e que não podiam sequer ser imaginadas. Estava farta de ouvi-lo dizer: "Nós, lá na França", e farta também de ouvi-lo falar contra os padres. — É sempre melhor um governo de padres que o fascismo — dizia minha mãe. — Dá no mesmo! Você não entende que dá no mesmo! É a mesma coisa!

Durante os anos da guerra que passamos sem o rever, Mario se casara. A notícia de seu casamento chegou a meus pais pouco antes do fim da guerra; tinha se casado, contou alguém, com a filha do pintor Amedeo Modigliani. Pela primeira vez, ante a notícia do casamento de um de nós, meu pai ficou tranquilo: coisa que nós e minha mãe achamos muito esquisita, inexplicável, e que para sempre permaneceu sem explicação. Mas talvez meu pai tivesse temido tanto por Mario naqueles anos, imaginando-o prisioneiro dos alemães, ou morto, que agora o fato de apenas ter-se casado parecia-lhe um incidente de menor importância. Minha mãe andava toda contente, e ficava imaginando sobre o casamento e sobre a Jeanne, que nunca vira, mas de quem lhe disseram que parecia um quadro de Modigliani, penteada como são penteadas as mulheres nesses quadros. Meu pai observou apenas que os quadros de Modigliani eram um horror: — Borrões! Porcarias! — e não disse mais nada. Mas parecia encarar esse casamento com vaga aprovação.

Terminada a guerra, chegou uma carta de Mario, algumas linhas lacônicas. Dizia que se casara por razões ligadas à sua residência na França e já se divorciara. — Que pena! — disse minha mãe. — Como eu sinto! — Meu pai não disse nada.

Quando tornaram a vê-lo, Mario não parecia disposto a falar daquele seu casamento e do divórcio. Dava a entender que tudo estava previsto desde o começo, casamento e divórcio, e parecia querer afirmar que ambos eram a coisa mais simples e mais natural do mundo. Por outro lado, não parecia disposto a falar de nada do que lhe acontecera naqueles anos. Se passara privações ou medos, decepções ou humilhações, não o disse. Mas às vezes apareciam sulcos melancólicos em seu rosto endurecido, quando estava em repouso com as mãos unidas e apertadas entre os joelhos numa postura que sempre lhe fora habitual, o crânio de bronze apoiado no encosto da poltrona, os lábios arqueados num ríctus de desilusão, uma espécie de sorriso amargo e doce.

— Não vai visitar Sion Segre? — perguntou-lhe meu pai. Tinha imaginado que logo fosse correndo procurar Sion Segre, seu companheiro na velha aventura. — Não vou lá. Não saberíamos mais o que dizer um ao outro — Mario disse.

Não quis sequer visitar os irmãos nas várias cidades, embora não os visse havia muito tempo. Disse, como dissera de Sion Segre: — Agora já não saberíamos mais o que dizer um ao outro!

Entretanto, pareceu contente em ver Alberto, que voltara a

Turim depois da guerra. Agora não o desprezava mais. — Deve ser um bom médico! — disse. — Nada mau, como médico deve ser muito bom!

Pediu-lhe algumas informações sobre a doença de Cafi, descrevendo-lhe os sintomas e reportando as opiniões dos médicos que tratavam dele. Cafi morava em Bordeaux, e já não podia mais sair da cama, perdera toda a força e quase não falava mais.

Só ficamos sabendo como Mario tinha vivido naqueles anos aos poucos, aos trancos, pelas frases lacônicas e impacientes que soltava de vez em quando, bufando e dando de ombros, como que irritado por não sabermos de nada. Durante o avanço alemão encontrava-se em Paris, após ter abandonado o colégio onde lecionava; e voltara a viver com o gato, em sua água-furtada. Os alemães avançavam dia a dia, e Mario disse a Cafi que era preciso abandonar Paris; mas Cafi estava com um pé doente e não queria se mover. Chiaromonte: a mulher dele morreu no hospital justo nesses dias, e ele decidiu ir para a América. Embarcou em Marselha, no último navio civil que ia zarpar.

Finalmente Mario convenceu Cafi a sair de lá. Deixaram Paris a pé, quando os alemães já estavam a um quilômetro e não era mais possível arranjar um meio de transporte. Cafi mancava, apoiava-se em Mario, e prosseguiam com uma lentidão exasperante. De quando em quando, Cafi sentava-se para descansar à beira da estrada, e Mario lhe ajeitava as ataduras. Depois recomeçavam a andar e Cafi arrastava na poeira o pé dolorido, calçado com um chinelo e uma meia cerzida com linha vermelha.

Foram parar num vilarejo nos arredores de Bordeaux. Mario foi confinado num campo de refugiados estrangeiros. Libertado, entrou no *maquis*. No final da guerra estava em Marselha e fazia parte do Conselho de Saneamento. Chiaromonte deixou a América, voltou a Paris, e continuou com Mario e Cafi a amizade de sempre. Mario nem sequer pensava em tornar a se estabelecer na Itália. Aliás, tinha requerido a cidadania francesa.

Era consultor econômico de um industrial, um francês, viera de automóvel para a Itália com o tal francês, e levava-o para visitar os museus e as fábricas, mas era o francês quem dirigia o automóvel, porque Mario continuava sem saber guiar. Meu pai e minha mãe perguntavam-se inquietos se esse emprego tinha algum caráter de estabilidade ou se era coisa momentânea e precária.

— Receio que Mario tenha acabado arranjando um empreguinho à toa! — dizia minha mãe. — Que pena! Ele que é tão inteligente! — Mas quem é esse francês? — dizia meu pai. — Acho que tem um jeito equívoco!

Mario permaneceu na Itália não mais que uma semana; depois partiu com o francês, e não tornamos a vê-lo por muito tempo.

A pequena editora de antes tornara-se grande e importante. Agora, muita gente trabalhava lá. Tinha uma nova sede, no Corso Re Umberto, depois que a sede antiga desmoronou num bombardeio. Pavese agora tinha uma sala só para si, e na porta havia uma placa com a inscrição "Direção editorial". Pavese ficava à mesa, com o cachimbo, revisando as provas com a rapidez de um raio. Lia a *Ilíada* em grego, nas horas de folga, salmodiando os versos em voz alta; numa triste cantilena. Ou então, riscando com rapidez e violência, escrevia seus romances. Tornara-se um escritor famoso.

Na sala vizinha ficava o editor, bonito, rosado, com o pescoço comprido, os cabelos ligeiramente grisalhos nas têmporas, como asas de rolinha. Agora tinha muitas campainhas sobre a mesa, e telefones, e não berrava mais: — Coppaaa! — De resto, a senhorita Coppa não estava mais lá. Não estava mais lá o antigo auxiliar de escritório. Agora, quando queria chamar alguém, o editor apertava um botão e falava no interfone, com o andar de baixo, onde havia muitas datilógrafas e muitos auxiliares de escritório. De quando em quando, o editor punha-se a passear de ponta a ponta pelo corredor; com as mãos às costas, a cabeça meio reclinada sobre o ombro, aparecia nas salas dos funcionários e dizia alguma coisa com sua voz nasalada. O editor não era mais tímido, ou melhor, sua timidez despertava só às vezes, quando precisava conversar com estranhos, e não parecia mais timidez, parecia um mistério frio e silencioso. Por isso, sua timidez intimidava os estranhos, que se sentiam envolvidos por um olhar azul, luminoso e glacial, que os interrogava e os avaliava do outro lado da grande mesa de vidro, a uma distância glacial e luminosa. Aquela timidez tinha se tornado um grande instrumento de trabalho. Aquela timidez tinha se tornado uma força contra a qual os estranhos vinham bater como mariposas batendo deslumbradas numa lâmpada, e se tinham chegado lá seguros de si com montes de propostas e de projetos, depois, no final da conversa, ficavam esgotados e desconcertados, com a dúvida desagradável de serem talvez meio tolos e ingênuos, e de terem maquinado projetos sem qualquer fundamento, em presença de uma investigação fria que os perscrutara e examinara em silêncio.

Pavese raramente aceitava receber estranhos. Dizia: — Tenho mais o que fazer! Não quero ninguém aqui! Que se danem! Estou pouco me lixando!

Os funcionários novos, os jovens, eram favoráveis às conversas com estranhos. Os estranhos podiam trazer ideias.

Pavese dizia: — Aqui não se precisa de ideias! Temos ideias de sobra, até!

Tocava o interfone em sua mesa, e a conhecida voz nasalada dizia no aparelho:

— Tem um sujeito lá embaixo. Receba-o. Pode ser que tenha alguma proposta.

Pavese dizia: — Quem precisa de propostas? Estamos cheios de propostas até o pescoço! Estou pouco me lixando para propostas! Não quero ideias!

— Então, passe-o para o Balbo — dizia a voz.

Balbo dava atenção a todo mundo. Jamais recusava um novo encontro. Balbo não tinha defesas contra as propostas e as ideias. Todas as propostas e todas as ideias agradavam-lhe, instigavam-no, agitavam-no, e vinha expô-las a Pavese. Vinha lá, pequeno, com seu nariz vermelho, sério como ficava quando tinha uma proposta para expor, quando acreditava ter posto os olhos sobre um novo caso humano, surpreso como sempre se surpreendia diante de cada nova forma humana que se delineava em seu horizonte, sempre disposto a perceber a inteligência onde quer que fosse, a vê-la pulular em todo canto onde tinham pousado seus pequenos olhos azuis, penetrantes e ingênuos, desprevenidos e profundos. Balbo falava, falava, e Pavese fumava o cachimbo e enrolava os cabelos no dedo.

Pavese dizia: — Acho que é uma proposta idiota! Proteja-se contra os idiotas!

E Balbo respondia que em parte, claro, era realmente uma proposta idiota, mas ao mesmo tempo não era tão idiota assim, e tinha uma sementinha boa, vital, fecunda, Balbo falava e falava porque estava sempre falando, não parava nunca. Quando terminava de falar com Pavese ia à sala do editor e falava com ele também, pequeno, sério, com o pequeno nariz vermelho, e o editor balançava-se na poltrona, dardejava sobre ele de quando em quando o olhar claro e frio, rabiscava figuras geométricas num papel, o cigarro apagado nos lábios, as pernas cruzadas.

Balbo jamais revisava as provas. Dizia: — Não sou capaz de revisar as provas! Vou muito devagar. Não é culpa minha!

Jamais lia um livro de cabo a rabo. Lia uma frase aqui, outra ali, e logo se levantava para ir falar sobre ele com alguém, pois bastava um nada para instigá-lo, para agitá-lo, para pôr em movimento seu pensamento que logo saía voando, e ele ficava lá até as nove da noite, conversando entre as mesas, porque não tinha horários, nunca se lembrava de ir almoçar. Até as mesas ficarem vazias, o escritório deserto; então olhava o relógio, sobressaltava-se, vestia o sobretudo e punha o chapéu verde bem assentado na testa. Seguia pelo Corso Re Umberto abaixo, pequeno, empertigado, com sua pasta embaixo do braço, mas detinha-se para olhar as motocicletas e as lambretas nos estacionamentos, porque tinha grande curiosidade por todas as máquinas, e uma ternura especial pelas motocicletas.

Pavese dizia dele: — Mas por que tem sempre que falar enquanto os outros trabalham?

E o editor dizia: — Deixe-o em paz!

O editor tinha pendurado na parede, em sua sala, um retrato de Leone, meio cabisbaixo, os óculos escorregando no nariz, a basta cabeleira negra, a covinha profunda na face, a mão feminina. Leone tinha morrido na prisão, na ala alemã dos cárceres de Regina Coeli, em Roma, durante a Ocupação alemã, num fevereiro gélido.

Eu nunca mais tornara a ver os três juntos, Leone, o editor e Pavese, desde a primavera em que os alemães tomaram a França, a não ser uma única vez, ao voltarmos Leone e eu do confinamento para onde o tinham mandado logo depois que a Itália entrara na guerra. Vínhamos do confinamento com uma licença de poucos dias, e então jantávamos sempre juntos, nós, Pavese e o editor, com outras pessoas que começavam a se tornar importantes na editora, mais gente vinda de Milão e de Roma, com projetos e ideias. Balbo não, pois nessa época ele estava na guerra, no fronte albanês.

Pavese quase nunca falava de Leone. Não gostava de falar

dos ausentes ou dos mortos. Era o que dizia. Dizia: — Quando alguém vai embora ou morre, tento não pensar nisso, porque não gosto de sofrer.

No entanto, talvez às vezes sofresse por tê-lo perdido. Tinha sido seu melhor amigo. Talvez incluísse essa perda entre as coisas que o dilaceravam. E certamente era incapaz de poupar-se do sofrimento, mergulhando nos mais amargos e cruéis sofrimentos, toda vez que se apaixonava.

O amor pegava-o como um ataque de febre. Durava um ano, dois anos; e depois sarava, mas ficava desvairado e arrasado, como quem se levanta após uma doença grave.

Essa primavera, a última primavera que Leone tinha trabalhado todos os dias na editora, enquanto os alemães tomavam a França, e na Itália esperava-se a guerra, essa primavera parecia cada vez mais distante. Até a guerra, aos poucos, ia se tornando distante. Existiram por muito tempo, na editora, estufas de tijolos, quando o aquecimento não funcionava por causa da guerra; mais tarde as caldeiras dos termossifões foram consertadas, mas as estufas permaneceram ali por muito tempo ainda. Depois o editor mandou levá-las embora. Nas salas, os manuscritos amontoavam-se, em desordem, por não terem estantes suficientes; finalmente foram feitas novas estantes suecas, com tábuas intercambiáveis, que chegavam até o teto. No corredor, no fundo, uma parede foi pintada de preto e ali foram penduradas com tachinhas estampas e reproduções de quadros. Depois, jogaram fora as tachinhas e penduraram quadros verdadeiros em molduras brilhantes.

Meu pai estava na Bélgica durante a invasão alemã. Permaneceu em Liège até o último momento, trabalhando em seu instituto, não acreditando que os alemães chegassem tão depressa, porque se lembrava da outra guerra, quando os alemães ficaram parados às portas de Liège durante quinze dias. Dessa vez, porém, os alemães estavam prestes a entrar na cidade; e ele se decidiu, finalmente, a fechar o instituto já deserto e a ir embora, e foi para Ostende, um pedaço a pé, outro nos transportes de emergência, em meio à multidão que invadia as estradas. Em Ostende, foi recolhido por uma ambulância da Cruz Vermelha onde havia alguém que o reconhecera. Deram-lhe um avental para vestir; e foi com a ambulância até Boulogne. Ali, a ambulância caiu prisioneira dos alemães. Meu pai foi apresentar-se aos alemães, disse seu nome. Esses alemães não fizeram caso do nome, que era inconfundivelmente um nome judeu, e perguntaram-lhe o que pretendia fazer. Ele respondeu que pretendia voltar a Liège. Levaram-no de volta para lá.

Permaneceu mais um ano em Liège. Estava sozinho, não havia mais ninguém no instituto naquele ano, nem mesmo seu discípulo e amigo Chèvremont. Mais tarde aconselharam-no a voltar para a Itália, e daí ele voltou para junto de minha mãe, em Turim.

Ele e minha mãe continuaram em Turim até os bombardeios danificarem a casa. Em Turim, durante os bombardeios, ele nunca queria descer até a adega. Minha mãe precisava suplicar-lhe para que descesse, todas as vezes, e dizia-lhe que, se ele não descesse, ela também não desceria. — Parvoíces! — ele dizia nas escadas. — Se a casa desabar, certamente a adega desaba também! Não há nenhuma segurança na adega! É uma parvoíce!

Depois foram se refugiar em Ivrea. Veio o armistício; naqueles dias, minha mãe estava em Florença, e ele mandou dizer-lhe que não saísse dali. Ele permaneceu em Ivrea, na casa de uma tia da Piera, que se refugiara em outro lugar. Vieram dizer-lhe para se esconder, pois os alemães estavam procurando e prendendo os judeus. Escondeu-se no campo, numa casa vazia que amigos lhe cederam, e consentira, finalmente, em mandar fazer uma carteira de identidade falsa, na qual se chamava Giuseppe Lovisatto. Porém, quando ia visitar conhecidos, e a empregada que abria a porta perguntava-lhe quem devia anunciar, ele dava seu nome verdadeiro, dizia: — Levi. Não, nada disso, Lovisatto. — Depois, avisaram-no que fora reconhecido, e ele partiu para Florença.

Permaneceram em Florença, meu pai e minha mãe, até o Norte ser libertado. Em Florença quase não se encontrava comida; e, no fim da refeição, dando uma fruta a cada um de meus filhos, minha mãe dizia:

— Para os pequenos uma fruta, para os grandes o diabo que os desfruta. — E contava da Grassi que, na outra guerra, todas as noites, pegava uma noz e a dividia em quatro: — Uma noz, Lidia! — Dando um pedaço para cada um de seus quatro filhos, Erika, Dina, Clara e Franz.

Minha mãe, quando eu e Leone vivíamos em Abruzzo, no confinamento, gostava muito de vir nos visitar. Ia visitar também Alberto, que estava pouco distante dali, em Rocca di Mezzo; e comparava um lugarejo com o outro, e declamava A *filha de Iório*, que lhe vinha à cabeça naqueles lugares.

Como não tivéssemos lugar em casa, quando vinha, minha mãe dormia no hotel: o único hotel do lugar, poucos quartos agrupados em torno de uma cozinha, com um caramanchão, uma horta e um terraço; e, atrás, os campos e os morros, baixos, pelados, batidos pelo vento. As proprietárias do hotel, mãe e filha, tornaram-se amigas nossas; e nós costumávamos passar os dias, estivesse minha mãe ou não, nessa cozinha e no terraço. Comentava-se, na cozinha durante as noites de inverno, e no terraço durante o verão, sobre o lugarejo todo e os confinados, que tinham vindo, com a guerra, como nós, misturar-se à vida do lugar, compartilhando suas benesses e seus problemas. Minha mãe, como nós, aprendera os apelidos que, no lugarejo, costumavam dar aos confinados e aos da terra. Eram muitos os confinados, e entre eles havia ricos e paupérrimos: os ricos comiam melhor, compravam farinha e pão no mercado negro, mas, tirando a comida, levavam a mesma vida dos pobres, sentando às vezes na cozinha ou no terraço do hotel, às vezes no armazém de Ciancaglini, que era um vendeiro.

Havia os Amodaj, ricos comerciantes de meias de Belgrado; um sapateiro de Fiume, um padre de Zara, um dentista; e dois irmãos judeus alemães, um professor de dança e outro filatelista, chamados Bernardo e Villi; e havia também uma velha holandesa louca, que no lugarejo chamavam de Pés Ligeiros, porque tinha os tornozelos finos; e muitos outros ainda.

Pés Ligeiros publicara, nos anos anteriores à guerra, livros de poesias em louvor a Mussolini.

— Escrevi versos para Mussolini! Que erro! — dizia à minha mãe, ao encontrá-la na rua, e erguia para o céu as longas mãos calçadas de luvas brancas à mosqueteiro, que ganhara de presente de não sei que associação para os refugiados judeus. O dia inteiro, Pés Ligeiros percorria a rua de cabo a rabo, caminhando alucinada e parando para conversar com as pessoas, às quais contava suas desgraças, erguendo para o céu as mãos enluvadas. Todos os confinados caminhavam desse modo, fazendo e refazendo cem vezes por dia o mesmo percurso, porque lhes era proibido adentrar no campo.

— Lembra a Pés Ligeiros? Que fim terá levado? — dizia-me minha mãe muitos anos mais tarde.

Minha mãe, quando vinha nos visitar em Abruzzo, sempre trazia consigo uma tina, porque lá não existiam banheiras e sua preocupação constante era poder, de algum modo, tomar seu banho, de manhã. Trouxera uma para nós também, e fazia-me lavar as crianças muitas vezes ao dia, porque meu pai, em toda carta que escrevia, recomendava banhá-los sempre, por se tratar de um lugarejo primitivo e sem normas de higiene; uma empregada que tínhamos na época dizia com ar aborrecido, quando nos via dando banho nas crianças:

— Tão limpos como ouro. Vivem tomando banho.

Essa mulher, gorda, vestida de preto e já perto dos cinquenta, tinha ainda o pai e a mãe vivos, e chamava-os de "o velho" e de "a velha". À noite, antes de sair, juntava num pacote sacos de açúcar e de café, e enfiava embaixo do braço uma garrafa de vinho: — Posso? Estou levando alguma coisa pra velha! Estou levando um pouco de vinho pro velho, que ele gosta de vinho!

Alberto foi transferido para um lugar de confinamento mais ao norte. A transferência para o Norte era considerada uma coisa boa; quem era transferido para o Norte com toda a probabilidade seria logo posto em liberdade. Nós também, de quando em quando, requeríamos nossa transferência para o Norte; mas sairíamos de Abruzzo a contragosto, como tinham saído Miranda e Alberto, que achavam tolo seu novo confinamento no Canavese. De qualquer modo, nossos pedidos de transferência não foram atendidos.

Meu pai também vinha nos visitar, às vezes. Achava o lugarejo imundo. Lembrava-lhe a Índia.

— É igual à Índia! — dizia. — A imundície que havia na Índia não dá para imaginar! A imundície que vi em Calcutá! Em Bombaim!

E ficava todo contente por falar da Índia. Iluminava-se de um vivo prazer, falando de Calcutá.

Quando minha filha Alessandra nasceu, minha mãe passou bastante tempo conosco. Não pensava em partir. Era o verão de 1943. Tinha-se a esperança de que o fim da guerra estivesse próximo. Foi um período sereno, e foram os últimos meses que Leone e eu passamos juntos. Minha mãe partiu finalmente, e eu fui acompanhá-la até Aquila, e enquanto esperávamos a caminhonete na praça, eu tinha a sensação de estar me preparando para uma longa separação. Aliás, tinha a sensação confusa de que não iria vê-la nunca mais.

Depois chegou o dia 25 de julho, e Leone deixou o confinamento e foi para Roma. Eu ainda fiquei. Havia lá um prado que minha mãe chamava "do cavalo morto", porque certa manhã encontraram ali um cavalo morto. Costumava andar pelo prado todos os dias, com as crianças. Sentia a falta de Leone e de minha mãe; e esse prado onde tantas vezes estivera com eles dava-me uma grande tristeza. Tinha o espírito toldado pelos mais tristes pressentimentos. Ao longo da rua poeirenta entre as colinas queimadas pelo sol de verão, Pés Ligeiros passava e repassava, com seu andar torto e veloz, com seu chapéu de palha; e os irmãos Bernardo e Villi, vestindo longos casacos à martingale oferecidos pela tal associação judaica, que usavam até em pleno verão, por terem as roupas puídas. Salvo Leone, os confinados tinham permanecido lá, pois não sabiam para onde ir.

Depois veio o armistício, o breve alvoroço e o delírio do armistício; e depois, dois dias mais tarde, os alemães. Na rua corriam caminhões alemães, os morros e o lugarejo estavam cheios de soldados. Havia soldados no hotel, no terraço, embaixo do caramanchão e na cozinha. O lugarejo estava petrificado pelo medo. Levava sempre as crianças ao prado do cavalo morto, e quando os aeroplanos passavam, jogávamo-nos na relva. Encontrava sempre, na rua, os outros confinados, e nos interrogávamos em silêncio com os olhos, perguntando para onde ir e o que fazer.

Recebi uma carta de minha mãe. Ela também estava assustada e não sabia como me ajudar. Então, pela primeira vez em minha vida pensei que não existia proteção possível para mim, que devia arranjar-me sozinha. Entendi que sempre trouxera comigo, no afeto que tinha por minha mãe, a sensação de que ela, nas desgraças, me protegeria e defenderia. Mas agora, em mim sobrava apenas o afeto, e todo pedido e espera de proteção desapareceram desse afeto, e pensava antes que, talvez, no futuro, era eu quem deveria protegê-la e defendê-la, pois minha mãe já estava muito velha, abatida e indefesa.

Parti do lugarejo no dia primeiro de novembro. Tinha recebido uma carta de Leone, entregue em mãos por uma pessoa vinda de Roma, na qual me dizia para partir imediatamente, porque lá era difícil esconder-se, e os alemães nos teriam descoberto e levado embora. Os outros confinados também agora tinham se escondido num lugar ou outro do campo ou nas cidades mais próximas.

A gente do lugar veio em meu auxílio. Combinaram entre si e todos me ajudaram. A dona do hotel, que tinha alemães acampados nos poucos quartos e sentados na cozinha ao redor do fogão, lá onde tranquilamente nos sentáramos tantas vezes, contou aos soldados que eu era uma refugiada de Nápoles, parente sua, que perdera os papéis nos bombardeios e que precisava chegar a Roma. Caminhões alemães iam para Roma todos os dias. Desse modo, certa manhã, subi num desses caminhões, e as pessoas vieram beijar meus filhos que tinham visto crescer, e nos despedimos.

Chegando a Roma, respirei aliviada e achei que começaria para nós um tempo feliz. Não tinha muitos elementos para pensar assim, mas pensei. Tínhamos um alojamento nos arredores da Piazza Bologna. Leone dirigia um jornal clandestino e estava sempre fora de casa. Foi detido, vinte dias depois de nossa chegada; e não tornei a vê-lo nunca mais.

Encontrei-me com minha mãe em Florença. Sentia sempre, nas desgraças, muito frio; e enrolava-se no seu xale. Não trocamos muitas palavras sobre a morte de Leone. Ela gostava muito dele; mas não gostava de falar dos mortos, e sua preocupação constante era sempre lavar, pentear e manter as crianças bem agasalhadas.

— Lembra a Pés Ligeiros? Villi? — dizia. — O que terá acontecido com eles?

Pés Ligeiros, como soube mais tarde, morrera de pneumonia numa casa de camponeses. Os Amodaj, Bernardo e Villi esconderam-se em Aquila. Mas outros confinados foram pegos, algemados e carregados num caminhão, e sumiram na poeira da estrada.

Meu pai e minha mãe tinham envelhecido no fim da guerra. Os sustos e as desgraças envelheciam minha mãe de repente, no espaço de um dia. Nessa época, ela vivia com um xale roxo de lã angorá, comprado na Parisini, e enrolava-se nele. Sentia frio, nos sustos e nas desgraças, e tornava-se pálida, com olheiras profundas. As desgraças deixaram-na abatida e prostrada, faziam com que andasse devagar, mortificando seu passo triunfante, e cavavam em suas faces dois buracos profundos.

Voltaram para Turim, para a casa da Via Pallamaglio, que agora se chamava Via Morgari. A fábrica de tintas na praça fora queimada num bombardeio; o estabelecimento de banhos públicos também. Mas a igreja fora apenas um pouco danificada e continuava lá, sustentada agora por traves de ferro.

— Que pena! — disse minha mãe. — Podia ter desabado! É tão feia! Que nada, ficou em pé!

Nossa casa foi reformada e arrumada. Havia madeira compensada no lugar de um vidro ou outro quebrado, e meu pai mandou instalar estufas nos quartos, porque os termossifões não funcionavam. Minha mãe chamou logo a Tersilla, e quando viu a Tersilla no quarto de passar, diante da máquina de costura, respirou aliviada e achou que a vida podia retomar seu ritmo antigo. Arranjou tecidos floridos para cobrir as poltronas, que tinham ficado na adega e apresentavam manchas de mofo em alguns lugares. Finalmente, pendurou-se na sala de jantar, em cima do sofá, o retrato da tia Regina, que agora olhava novamente do alto com os olhos redondos e claros, com as luvas, a papada e o leque.

— Para os pequenos uma fruta, para os grandes o diabo que os desfruta! — dizia sempre minha mãe no final da refeição. Depois parou de falar assim, pois novamente havia frutas para todos. — Estas maçãs não prestam! — dizia meu pai. E minha mãe dizia: — Mas são *carpandue*, Beppino!

Meu pai informou a Chèvremont que pretendia doar à Universidade de Liège sua biblioteca, que ficara lá: por gratidão, porque o tinham hospedado enquanto na Itália havia a campanha racial.

Estava sempre em contato com Chèvremont. Correspondiam-se, e Chèvremont mandava-lhe suas publicações.

Minha mãe pensava nos lugares somente em função das pessoas que lá conhecia. Na Bélgica, toda, para ela só existia Chèvremont. Quando ocorria alguma coisa na Bélgica, enchentes ou mudanças de governo, minha mãe dizia:

— Que será que Chèvremont vai dizer disso?

Na França, antes de Mario ir para lá, só existia para ela um certo senhor Polikar, que encontrara junto com meu pai num congresso. Dizia sempre: — Que terá acontecido a Polikar?

Na Espanha conhecia uma pessoa chamada Di Castro. Se lia sobre temporais ou marejadas na Espanha, dizia: — O que terá acontecido a Di Castro?

Esse Di Castro, numa de suas estadas em Turim, certa vez

adoecera, e não se sabia que doença tivesse. Meu pai internou-o numa clínica e chamou um monte de médicos para examiná-lo. Alguém dizia que talvez sofresse do coração. Di Castro estava com febre alta, delirava e não reconhecia ninguém. A mulher dele, vinda de Madri, continuava a repetir:

— Não é o *corazon*! É a *cabezza*!

Curado, Di Castro regressou à Espanha, veio o governo franquista, depois a Guerra Mundial, e dele não se soube mais nada.

— Não é o *corazon*! É a *cabezza*! — dizia sempre minha mãe, evocando a Espanha e a senhora Di Castro. A guerra engoliu o senhor Polikar, também. Não se soube mais nada nem mesmo da Grassi, que vivia em Friburgo, na Alemanha. Minha mãe lembrava-se dela com frequência. Dizia:

— O que será que a Grassi anda fazendo agora?

— Deve estar morta! — dizia às vezes. — Ah, que sensação de que talvez a Grassi tenha morrido!

Sua geografia, depois da guerra, estava completamente arrasada. Não era mais possível evocar tranquilamente a Grassi e o senhor Polikar. Noutros tempos eles tinham o poder de transformar, aos olhos de minha mãe, países distantes e desconhecidos em algo doméstico, usual e alegre, de tornar o mundo uma espécie de bairro ou de rua que se podia percorrer num segundo com o pensamento, nas pegadas daqueles poucos nomes habituais e tranquilizadores.

Depois da guerra, o mundo, ao contrário, parecia enorme, desconhecido e sem fronteiras. No entanto, minha mãe recomeçou a habitá-lo como podia. Recomeçou a habitá-lo com alegria, porque era alegre seu temperamento. Seu espírito não sabia envelhecer e jamais conheceu a velhice, que é estar afastado num canto, chorando o esfacelamento do passado. Minha mãe viu o esfacelamento do passado sem lágrimas, e não usou luto por ele. De resto, não gostava de vestir-se de luto. Quando sua mãe morrera, estava então em Palermo, e veio de lá para Florença, onde a mãe morrera repentinamente e sozinha. Sentiu uma imensa dor ao vê-la morta. Depois saiu para comprar um vestido de luto. Mas, ao invés de comprar um vestido preto, como se propusera a fazer, comprou um vestido vermelho e voltou a Palermo com aquele vestido vermelho na mala. Disse a Paola: — O que você quer, minha mãe detestava vestidos pretos e ficaria contentíssima se me visse com este lindo vestido vermelho!

> A Cia machucou um dos pés
> Às vezes jorrava pus de noite,
> A Mutua mandou ela a Vercelli.

Jovens poetas escreviam e levavam para serem lidos na editora versos desta espécie. Em particular, o terceto sobre a Cia fazia parte de um longo poema sobre as mondadeiras. O pós-guerra era um tempo em que todos pensavam ser poetas, e todos pensavam ser políticos; todos imaginavam que fosse possível e necessário antes fazer poesia de tudo, depois de tantos anos em que o mundo pareceu ter emudecido e petrificado, e a realidade fora olhada como que através de um vidro, numa vítrea, cristalina e muda imobilidade. Romancistas e poetas, nos anos do fascismo, tinham jejuado, por não existirem ao redor muitas palavras que fosse permitido usar; e os poucos que ainda tinham usado palavras escolheram-nas com todo o cuidado no magro patrimônio de migalhas que ainda restava. No tempo do fascismo, os poetas viram-se obrigados a exprimir somente o mundo árido, fechado e sibilino dos sonhos. Agora, havia de novo muitas palavras em circulação, e a realidade parecia de novo ao alcance da mão; por isso, esses antigos jejuadores puseram-se a vindimar com deleite. E a vindima foi geral, porque todos tiveram a ideia de participar dela; e determinou-se uma confusão de linguagem entre poesia e política, que apareceram misturadas. Mas depois aconteceu que a realidade se revelou complexa e secreta, indecifrável e obscura não menos que o mundo dos sonhos; e revelou-se ainda situada do outro lado do vidro, e a ilusão de ter quebrado esse vidro revelou-se efêmera. Assim, muitos logo se retraíram desanimados e desencorajados; e tornariam a mergulhar num jejum amargo e num silêncio profundo. Desse modo, o pós-guerra foi triste, cheio de desânimo após as alegres vindimas dos primeiros tempos. Muitos se apartaram e se isolaram novamente no mundo dos seus sonhos, ou num trabalho qualquer que desse para viver, um trabalho assumido ao acaso e depressa, e que parecia pequeno e cinzento depois de tanto clamor; de qualquer modo, todos esqueceram aquela breve, ilusória coparticipação na vida do próximo. Por muitos anos, decerto, ninguém praticou mais o próprio ofício, mas todos acreditaram que podiam e deviam praticar mil outros ao mesmo tempo; e muito tempo se passou antes que cada um retomasse sobre os ombros o próprio ofício e aceitasse seu peso e a fadiga cotidiana, e a solidão cotidiana, que é o único meio que temos de participar da vida do próximo, perdido e espremido numa solidão igual.

Quanto aos versos da Cia que machucou um dos pés, nessa época eles não nos pareceram bonitos, aliás, pareceram-nos horríveis, como são, mas hoje, no entanto, parecem-nos comoventes, falando aos nossos ouvidos a linguagem daquele tempo. Havia então dois modos de escrever, e um era uma simples enumeração de fatos, nas pegadas de uma realidade cinzenta, chuvosa, avara, no fundo de uma paisagem nua e mortificada; o outro era um mesclar-se aos fatos com violência e com delírio de lágrimas, de suspiros, de convulsões, de soluços. Num e noutro caso, não se escolhiam mais as palavras, porque no primeiro caso as palavras se confundiam no cinzento, e no outro se perdiam nos gemidos e nos soluços. Mas o erro comum era sempre acreditar que tudo pudesse se transformar em poesia e palavras. Disso resultou um fastio de poesia e palavras, tão forte que incluiu até a verdadeira poesia e as verdadeiras palavras, que no fim a pessoa se cala, petrificada de tédio e de náusea. Era necessário voltar a escolher as palavras, a perscrutá-las para sentir se eram falsas ou verdadeiras, se tinham ou não raízes verdadeiras em nós, ou se tinham apenas as raízes efêmeras da ilusão comum. Era necessário, portanto, se a pessoa escrevia, voltar a assumir o próprio ofício que, na embriaguez geral, tinha esquecido. E o tempo que se seguiu foi como o tempo que se segue à embriaguez, e que é de náusea, de langor e de tédio; e todos, de um modo ou de outro, sentiram-se enganados e traídos: seja os que habitavam a realidade, seja os que possuíam, ou acreditavam possuir, os meios para narrá-la. Desse modo, sozinho e descontente, cada um retomou o seu caminho.

Às vezes Adriano aparecia na editora. Gostava de editoras e queria ele também montar uma. Mas a editora que tinha na cabeça para montar era diferente daquela, porque ele não pretendia publicar nem poesias, nem romances. Na mocidade, gostava de um único romance: *Os sonhadores do Gueto*, de Israel Zangwill. Todos os outros que lera depois não o tinham tocado. Demonstrava grande respeito pelos romancistas e os poetas, mas não os lia; e as únicas coisas que o atraíam no mundo eram a urbanística, a psicanálise, a filosofia e a religião.

Adriano, nessa época, já era um grande e famoso industrial. No entanto, ainda conservava no aspecto algo de vadio, como no tempo de rapaz, quando era soldado; e movia-se sempre com o passo arrastado e solitário de um vagabundo. E ainda era tímido; não sabia aproveitar-se de sua timidez como de uma força, à maneira do editor, por isso costumava reprimi-la na presença de pessoas que encontrava pela primeira vez: fossem autoridades políticas, ou pobres rapazes que vinham pedir-lhe um emprego na fábrica; jogava os ombros para trás, endireitava a cabeça e acendia seus olhos com um olhar imóvel, frio e puro.

Encontrei-o na rua, em Roma, certo dia, durante a Ocupação alemã. Estava a pé; ia sozinho, com seu passo vadio; os olhos perdidos em seus eternos sonhos, que os velavam de névoas azuis. Estava vestido como os demais, mas, na multidão, parecia um mendigo; ao mesmo tempo, também parecia um rei. Um rei no confinamento, parecia.

Leone foi detido numa tipografia clandestina. Tínhamos um apartamento nos arredores da Piazza Bologna; estava sozinha em casa, com meus filhos, e esperava, e as horas passavam; e assim fui entendendo aos poucos, vendo que não voltava, que deviam tê-lo detido. Passou aquele dia, e a noite; e na manhã seguinte, Adriano veio à minha casa, e disse-me para abandonar depressa aquele lugar, porque, de fato, Leone fora detido, e a polícia, de uma hora para outra, podia vir até ali. Ajudou-me a arrumar as malas, a vestir as crianças; fugimos, e conduziu-me à casa de amigos que consentiam em hospedar-me.

Eu lembrarei sempre, a vida inteira, o grande conforto que senti, naquela manhã, ao deparar com sua figura que me era tão familiar, que conhecia desde a infância, depois de muitas horas de solidão e de medo, horas em que pensara nos meus que estavam distantes, no Norte, e que não sabia se tornaria a ver; e lembrarei sempre suas costas dobradas, recolhendo pelos aposentos nossas roupas espalhadas, os sapatos das crianças, com gestos de bondade humilde, piedosa e paciente. E, quando fugimos dali, tinha o rosto como daquela vez que viera à nossa casa pegar Turati, o rosto ofegante, assustado e feliz de quando levava alguém a salvo.

Quando vinha à editora, Adriano costumava entender-se com Balbo; porque Balbo era um filósofo, e ele sentia profunda atração pelos filósofos, e Balbo, por sua vez, sentia profunda atração por todos os industriais e engenheiros, pelas fábricas, problemas de fábrica, máquinas e motores: atração e paixão de que se gabava conosco, com Pavese e comigo, dizendo que éramos intelectuais e que ele não era; porque nós não entendíamos nada de fábricas e de máquinas. Atração e paixão que terminavam na contemplação das motocicletas nos estacionamentos, quando voltava para casa à noite.

Adriano e Paola tinham-se separado, depois da guerra. Ela vivia em Florença, nas colinas de Fiesole, e ele em Ivrea. Ele, no entanto, continuava amigo de Gino, e sempre se viam, embora, depois da guerra, Gino tivesse abandonado Ivrea e a fábrica, e trabalhasse em Milão. Aliás, talvez Gino fosse um de seus pouquíssimos amigos, pois ele era fiel aos amigos e às coisas descobertas e conhecidas em sua juventude, assim como continuara fiel, na intimidade de seu espírito, ao romancista Israel Zangwill. Sua fidelidade, porém, era simplesmente afetiva, e não se estendia ao mundo da realização: onde, ao contrário, estava sempre pronto a desfazer o que fizera e a tentar sempre técnicas e caminhos novos e mais modernos, achando que as coisas que realizava envelheciam entre suas mãos: e, nisso, parecia-se com o editor, também sempre pronto a mandar pelos ares o que somente ontem escolhera e criara, sempre ansioso e inquieto na busca do novo, busca que colocava acima de tudo, e diante da qual nada podia detê-lo, nem a consideração da fortuna obtida com as antigas invenções, nem o espanto e os protestos de todos que o rodeavam, os quais tinham se afeiçoado àquelas invenções antigas e não entendiam por que afinal deviam ser jogadas fora.

Agora eu também trabalhava na editora. A editora e o fato de que eu trabalhasse ali eram vistos por meu pai com aprovação e simpatia; e por minha mãe com desconfiança e suspeita. De fato, minha mãe achava que havia lá um ambiente demasiadamente de esquerda, porque, depois da guerra, passara a ter medo do comunismo, no qual, antes, jamais tinha pensado. Não lhe agradava sequer o socialismo de Nenni, que achava muito parecido com o comunismo; preferia os saragatianos, mas eles também não lhe agradavam muito, e achava que Saragat tinha "uma cara que não cheirava nem fedia".

— Turati! Bissolati! — dizia. — A Kulichov! Estes sim é que eram simpáticos. A política, hoje, não me agrada!

Ia visitar a Paola Carrara, que ficava lá em sua salinha sempre escura e cheia de passarinhos falsos, de cartões-postais e de bonecas; e ficava lá amuada, porque ela também implicava com os comunistas e receava que se apoderassem da Itália. Sua irmã e seu cunhado tinham morrido, e ela não tinha mais motivo para ir a Genebra, nem lia mais o *Zurnal de Zenève*; nem esperava mais o fim do fascismo ou a morte de Mussolini, tendo ambos perecido fazia tempo; por isso restava-lhe uma viva antipatia pelos comunistas, e o desgosto por as obras de Guglielmo Ferrero, seu cunhado, nunca terem sido, após o fim do fascismo, reavaliadas na Itália como mereciam. À noite, não convidava mais as pessoas para sua casa: os frequentadores habituais de seus serões, os antifascistas de antigamente, tinham ido morar em Roma, recebendo cargos políticos: restavam meus pais e alguns outros que em certas noites ela ainda convidava, mas já sem o antigo prazer: achava todos demasiadamente "de esquerda", exceto minha mãe; por isso acabava adormecendo, amuada, em sua roupa de seda cinza, as mãos encolhidas no xale cinza, feito de crochê.

— Você se deixa influenciar contra os comunistas pela Paola Carrara! — dizia meu pai à minha mãe.

— Não gosto dos comunistas! — minha mãe dizia. — A Paola Carrara nada tem a ver com isso. Não gosto deles! Eu amo a liberdade! Na Rússia não existe liberdade!

Meu pai admitia que na Rússia, talvez, não existisse lá muita liberdade. Porém, sentia-se atraído pelas esquerdas. Olivo, seu antigo assistente, que agora ocupava cátedra em Modena, era de esquerda.

— Até Olivo é de esquerda! — dizia meu pai à minha mãe. E minha mãe dizia: — Está vendo como é você que se deixa influenciar pelo Olivo!

Depois da guerra, então, meu pai e minha mãe tinham voltado a morar na Via Pallamaglio, que agora se chamava Via Morgari. Eu morava com eles, com meus filhos. Não havia mais a Natalina, pois logo depois da guerra ela montara uma água-furtada, com uns móveis que minha mãe lhe dera, e trabalhava por dia.

— Não quero mais ser escrava — dissera a Natalina. — Quero a liberdade!

— Você é boba! — dizia-lhe minha mãe. — Imagine se é minha escrava! É mais livre do que eu!

— Sou escrava! Sou escrava! — dizia a Natalina, com seu tom agitado e ameaçador, sacudindo a vassoura; e então minha mãe saía de casa, dizendo:

— Vou sair porque não posso ver a sua cara! Você ficou antipática mesmo!

E ia desabafar-se no verdureiro, no açougueiro. — Em casa está bem abrigada, não lhe falta nada! — explicava. — É boba mesmo!

Ia à casa de Alberto e Miranda, que moravam não muito longe, no Corso Valentino; e desabafava com eles também. — Não tem toda a liberdade que deseja? Eu não escravizo ninguém! — dizia.

E dizia: — Mas sem a Natalina, como é que eu vou fazer?

A Natalina transferiu-se para sua água-furtada. No entanto, vinha sempre visitar minha mãe, que tinha, no começo, esperança de que ela se arrependesse e voltasse para casa. Depois se resignara. Tinha outra empregada, agora.

— Adeus, Luís XI — dizia a Natalina quando esta saía para voltar à sua água-furtada que era "maravilhosa", pelo que contava, e para onde, à noite, convidava a Tersilla e o marido dela para tomar café. — Adeus, Luís XI! Adeus, Marat!

Muitos dos amigos de meu pai e de minha mãe tinham morrido. Morrera Carrara, marido da Paola Carrara, ainda antes da guerra: homem alto, magro, de bigodes alvos à escovinha, que sempre andava de bicicleta, com uma capa preta esvoaçando; dele minha mãe sempre dizia que era muito distinto, "distinto como Carrara", dizia quando queria indicar o cúmulo da retidão; e mesmo após a sua morte continuou falando assim. Até os pais de Adriano, o velho engenheiro Olivetti e sua mulher, tinham morrido justamente nos meses que se seguiram ao armistício, numa região do campo perto de Ivrea, onde estavam escondidos, primeiro ele, e, pouco tempo mais tarde, ela também. Lopez morrera no fim da guerra, logo que voltou da Argentina; e Terni também morrera em Florença. Meu pai sempre se correspondia com a mulher dele, Mary, que, no entanto, fazia muitos anos não via.

— Escreveu para Mary? — dizia a minha mãe. — Precisa escrever para Mary! Lembre-se de escrever para a Mary!

— Foi visitar a Frances? — dizia-lhe. — Vá visitar a Frances! Hoje você vai visitar a Frances!

— Escreva ao Mario! — dizia-lhe. — Ai de você se não escrever ao Mario hoje!

Mario não trabalhava mais com aquele francês; tinha, agora, um emprego na rádio. Conseguira a cidadania francesa e casara-se novamente.

Quando avisou que se casara novamente, dessa vez meu pai ficou furioso. Mas não muito. Ele e minha mãe foram a Paris, para conhecer a nova mulher. Mario morava numa casa nos arredores do Sena. Aquela casa era mais escura ainda, e meu pai não conseguira enxergar direito a mulher de Mario; viu apenas que era miúda e que usava uma franja caindo nos olhos. Uma hora em que ela não estava, perguntou ao Mario:

— Mas por que se casou com uma mulher tão mais velha que você?

Na verdade, a mulher de Mario não tinha nem sequer vinte anos. Ele, Mario, já estava com quarenta.

Tiveram uma menina. Meu pai e minha mãe voltaram a Paris, para o nascimento da criança. Mario andava doido pela menina, e a embalava pela casa. — *Elle pleure, il faut lui donner sa tétée!** — dizia agitado à mulher. E minha mãe dizia: — Mas como ele ficou francês!

Dessa vez, ao encontrar certo dia na casa de Mario, com a criança e a mulher, a outra mulher de Mario, a Jeanne, da qual ele se divorciara, e com quem mantivera relações amigáveis, meu pai se enfureceu.

Meu pai não gostava daquela casa no Sena. Dizia que era escura e que devia ser úmida. Quanto à mulher de Mario, achava que era muito miúda. — É muito miúda! — continuava dizendo. Minha mãe dizia: — É miúda, mas é engraçadinha! Tem os pés um pouco pequenos demais. Não gosto de pés pequenos.

Com isso meu pai não concordava. Sua mãe tivera pés pequenos.

— Você está errada! Nas mulheres, os pés pequenos são muito bonitos! Minha mãe, pobrezinha, vivia se gabando de ter pés pequenos!

— Não param de falar em comida! — dizia meu pai a respeito de Mario e de sua mulher. — A casa deles é muito úmida! Diga-lhes para se mudarem de casa!

— Você está louco, Beppino! Eles gostam muito de morar lá!

---

* Em francês: "Ela está chorando, é preciso dar-lhe de mamar".

— Tenho medo de que esse emprego na rádio seja um empreguinho à toa! — dizia minha mãe. E meu pai dizia: — É pena! Com a sua inteligência! Poderia ter feito uma carreira belíssima!

Cafi morrera em Bordeaux. Mario e Chiaromonte tinham juntado todos os seus papéis esparsos, escritos a lápis, e tentavam decifrá-los.

Na América, Chiaromonte tornara a se casar. Deixou Paris e veio se estabelecer na Itália, com a mulher.

Mario achou que ele era um bobo; e que não podia ter feito coisa mais boba. Entretanto, continuaram muito amigos; todo verão, encontravam-se em Bocca di Magra. Jogavam xadrez. Mario agora tinha dois filhos e trabalhava na Unesco. Meu pai escreveu a Chiaromonte para perguntar-lhe que tipo de trabalho Mario fazia, e se era coisa que apresentava alguma garantia de segurança.

— Talvez este não seja um empreguinho à toa! Talvez seja um bom emprego! — disse minha mãe. Porém, meu pai, apesar de ter recebido informações animadoras de Chiaromonte, balançava a cabeça decepcionado, pois era muito teimoso, e sempre incapaz de abandonar as primeiras impressões que tivera, por isso sempre conservou a ideia de que Mario perdera uma carreira brilhante e afortunada.

E, no entanto, apesar do orgulho de sempre que ainda sentia por ter tido em Mario um filho conspirador, que muitas vezes atravessara a fronteira com panfletos clandestinos, e apesar do orgulho de sempre que ainda sentia por sua detenção e por sua fuga dramática, conservou sempre um certo ressentimento ante a ideia de que nessa época, porém, Mario fizera os Olivetti correrem um risco e comprometera a fábrica. Tanto que alguns anos mais tarde, quando Adriano morreu, e Mario mandou um telegrama de Paris a meu pai: "Diga se minha presença funerais Adriano oportuna", meu pai logo respondeu com outro telegrama brusco: "Inoportuna sua presença funerais".

Meu pai, por outro lado, estava sempre muito preocupado com algum de seus filhos. Acordava durante a noite e ficava cismando sobre Gino. Deixando a Olivetti, Gino estabelecera-se em Milão, e era diretor e consultor de grandes empresas. — Da última vez que veio, achei-o sombrio — dizia de Gino meu pai. — Não queria que tivesse aborrecimentos! Você sabe que ele exerce funções de grande responsabilidade!

De nós, Gino era o mais fiel aos antigos hábitos familiares. Continuava indo à montanha aos domingos, no inverno e no verão. Às vezes, ainda ia com Franco Rasetti, que agora morava na América, mas aparecia na Itália de quando em quando.

— Como Gino dá para montanhista! — dizia meu pai. — Tem muito jeito para a coisa! No esqui, então, é excelente!

— Não — dizia Gino —, não levo muito jeito para esquiar. Esquio à moda antiga. Os jovens de agora é que esquiam bem!

— Você é sempre modesto! — dizia meu pai e, depois que tinha partido, ainda repetia: — Como o Gino é modesto!

— Como o Mario é intolerante! — dizia toda vez que Mario vinha de Paris. — Nunca há ninguém que lhe agrade! Só o Chiaromonte!

— Não gostaria de que o mandassem embora da Unesco! — dizia. — A situação política na França não é das mais seguras! Eu não estou tranquilo! Como foi bobo, adotando a cidadania francesa! Chiaromonte não quis saber dela! Mario foi bobo mesmo!

Minha mãe, entretanto, enternecia-se com os filhos de Mario, quando ele os trazia. — Como Mario é bonzinho com seus filhos! — dizia. — Como gosta deles!

— *Sa tétée! Il faut lui donner sa tétée!* — dizia. — São franceses, mesmo!

— A menina é linda — dizia —, mas é endiabrada! É uma verdadeira capeta!

— Não sabem educá-los — dizia meu pai —, são muito mimados.

— E de que adianta ter filhos se não se pode mimá-los? — minha mãe dizia.

— Disse que sou uma burguesa! — dizia minha mãe quando Mario tinha partido. — Acha que sou burguesa porque tenho os armários em ordem. A casa deles é uma bagunça. Mario, que era tão meticuloso, tão certinho! Ele, que era como o Silvio! Agora ficou completamente diferente. Mas está satisfeito!

— Bobo! Disse que sou muito de direita! Tratava-me como se eu fosse uma democrata cristã!

— Mas é verdade que você é de direita! — dizia meu pai. — Tem medo do comunismo. Deixa-se influenciar pela Paola Carrara!

— Dos comunistas eu não gosto — dizia minha mãe. — Gostava dos socialistas, os de antigamente. Turati! Bissolati! Como Bissolati era amável! No domingo, eu ia lá com meu pai!

— Talvez esse Saragat não seja tão ruim. Pena que tenha uma cara que não cheira nem fede! — dizia ainda minha mãe, e meu pai trovejava:

— Não diga parvoíces! Não venha querer me dizer que Saragat é socialista! Saragat é de direita! O socialismo verdadeiro é o de Nenni, não o de Saragat!

— Não gosto de Nenni! Nenni é como se fosse comunista! Vive dando razão a Togliatti! Eu não suporto esse Togliatti!

— Porque você é de direita!

— Eu não sou nem de direita, nem de esquerda. Eu sou pela paz!

E saía, com seu andar rejuvenescido, ritmado, glorioso, os cabelos já brancos ao vento, o chapéu na mão.

Parava sempre um pouco na casa de Miranda, de manhã, quando ia fazer as compras, e depois do almoço, quando ia ao cinema.

— Você tem medo dos comunistas — dizia-lhe Miranda — porque tem medo que lhe tirem a empregada.

— Claro, se Stálin vier tirar minha empregada, eu acabo com ele — dizia minha mãe. — Como vou fazer sem empregada, eu, que não sirvo para fazer nada?

Miranda estava sempre lá, numa poltrona, com a manta, com a bolsa de água quente, os cabelos loiros caindo no rosto, a voz de ladainha, modulada, infantil.

Os pais dela tinham sido presos pelos alemães. Foram presos como muitos judeus infelizes que não acreditaram na perseguição. Estavam em Turim, no frio; e foram para Bordighera para não sentir mais tanto frio. Bordighera era um lugar pequeno, e todos os conheciam; alguém os denunciara aos alemães, e os alemães os prenderam.

Ao saber que estavam em Bordighera, Miranda lhes escrevera que saíssem de lá pelo amor de Deus, porque todos os conheciam. As cidades grandes eram mais seguras. Mas eles escreveram, em resposta, que não fosse boba.

— Nós somos pessoas pacatas! Ninguém faz nada contra pessoas pacatas!

Não quiseram saber de nomes falsos, de papéis falsos. Parecia-lhes algo incorreto. Diziam: — Quem vai bulir com a gente? Somos pessoas pacatas!

Desse modo, os alemães os levaram, ela, a mãe, baixa, simples e alegre, doente do coração, ele, o pai, alto, pesado, pacato.

Miranda recebeu a notícia de que estavam na cadeia de Milão. Foram até lá, ela e Alberto, tentando entregar-lhes cartas, víveres, roupas. Não conseguiram nenhuma espécie de comunicação com o interior da prisão, e depois ficaram sabendo que todos os judeus de San Vittore tinham sido obrigados a partir para lugar desconhecido.

Foram, ela, Alberto e o menino, para Florença, com nome falso. Ocupavam dois cômodos perto do Campo di Marte. A criança pegou tifo; havia os bombardeios e precisavam levá-la ao abrigo, envolta num cobertor, febril.

Terminada a guerra, voltaram a morar em Turim. Alberto reabriu o consultório. À entrada havia sempre muitos doentes, e Alberto, de avental branco, o estetoscópio pendurado no pescoço, escapava de vez em quando para a sala de visitas para aquecer-se junto ao termossifão e para tomar café.

Tinha engordado e tornara-se quase calvo, mas ainda tinha, no alto da cabeça, tufos loiros, macios e desalinhados. Às vezes, resolvia fazer regime para emagrecer: fazia dieta e experimentava em si mesmo certos medicamentos recebidos como amostra grátis. Mas à noite sentia fome: e ia à cozinha procurar sobras do jantar na geladeira.

Tinham uma geladeira enorme, muito bonita, que Adriano lhes dera de presente por Alberto tê-lo curado uma vez que ficara doente; e Miranda, que vivia se queixando, queixara-se também do presente: — É muito grande! — dizia. — O que vou pôr lá dentro? Eu sempre compro só cem gramas de manteiga por vez!

Lembravam sempre os anos que passaram em Abruzzo, no confinamento. Tinham saudade desse tempo. — Como vivíamos bem no confinamento, em Rocca di Mezzo! — dizia Alberto. — Claro que se vivia bem! — Miranda dizia. — Eu não era preguiçosa, esquiava, ia esquiar com a criança! De manhã, levantava cedinho, acendia a estufa. Nunca tinha dor de cabeça. Agora estou sempre cansada de novo!

— Você não levantava tão cedo assim — dizia Alberto —, não vamos fantasiar! Você não acendia a estufa. Era a empregada!

— Que empregada? Se não tínhamos empregada!

O menino, o antigo ferroviário, já era um rapaz. Ia jogar futebol com meus filhos no parque Valentino.

Era grande, loiro, de voz grossa. No entanto, tinha na voz grossa um eco da ladainha da mãe.

— Mamãe — dizia —, posso ir no Valentino com os priminhos?

— Cuidado para não se machucarem! — dizia minha mãe.

Miranda dizia: — Não tenha medo! São prudentes como cobras!

— Mas é muito bem-educado — diziam Alberto e Miranda de seu filho. — Quem será que o educou? Nós é que não fomos! Deve ter-se educado sozinho!

— Domingo, talvez vá à montanha — dizia Alberto, esfregando as mãos.

Alberto, como Gino, também ia à montanha: mas não ia à maneira de Gino, que era aquela que meu pai nos ensinara. Gino ia à montanha sozinho, ou quando muito com seu amigo Rasetti, vez ou outra; e seu prazer em ir à montanha consistia no frio, no vento, no cansaço, no desconforto, no dormir pouco e mal, no comer pouco e depressa. Alberto, ao contrário, ia com grupos de amigos; levantava-se tarde, demorava-se nos saguões dos hotéis, batendo papo e fumando, e fazia, no calor dos restaurantes, refeições quentes e boas, descansava de chinelos por longo tempo, e finalmente esquiava. Quando esquiava, ele também esquiava atirando-se furiosamente no esforço, como aprendera a fazer na infância; não sabendo dosar seu esforço, nem medir as próprias forças, voltava para casa extremamente cansado, nervoso, e com sulcos profundos em torno dos olhos.

Quanto a Miranda, não queria saber da montanha: porque odiava o frio e a neve, menos aquela antiga neve de Rocca di Mezzo, na qual dizia ter esquiado tão bem, e da qual sempre tinha saudade.

— Como Alberto é bobo! — dizia. — Vai à montanha, sempre esperando se divertir, e depois, ao contrário, não se diverte tanto assim, e fica exausto! Que diversão é essa? E depois está querendo se divertir agora! Quando jovens, a gente se divertia, esquiando, fazendo qualquer coisa! Agora já não somos tão jovens, e não nos divertimos mais!

— Uma coisa era fazer tudo isso quando jovens, outra é fazer agora!

— Como a Miranda é deprimente! — dizia Alberto. — Você me deprime! Você me corta as asas!

Às vezes, de passagem por Turim, Vittorio ia à casa deles à noite. Vittorio saíra da prisão durante o governo Badoglio. Fora um dos chefes da Resistência, no Piemonte. Era do Partido de Ação. Casara-se com Lisetta, a filha de Giua. Morto o Partido de Ação, tornara-se socialista. Fora eleito deputado. Vivia em Roma.

Lisetta não mudara muito, desde o tempo em que andávamos de bicicleta e me contava os romances de Salgari. Continuava magra, empertigada e pálida, com os olhos vivos e com a madeixa sobre os olhos. Aos catorze anos sonhava com façanhas aventureiras; e tivera algo do que sonhara durante a Resistência. Fora detida, em Milão, e encarcerada em Villa Triste. Fora interrogada pela Ferida. Amigos fantasiados de enfermeiros ajudaram-na a fugir. Depois, oxigenara os cabelos para não ser reconhecida. Entre fugas e disfarces tivera uma filha. Por muito tempo, terminada a guerra, ficaram-lhe mechas oxigenadas entre os cabelos castanhos curtos.

Quanto a seu pai, tornara-se também deputado e vivia num vaivém entre Roma e Turim; sua mãe, a senhora Giua, ainda vinha sempre visitar minha mãe, mas acabavam brigando, porque minha mãe achava que ela era demasiadamente de esquerda; discutiam sobre os confins da Ásia, e a senhora Giua trazia-lhe calendários-atlas De Agostini, para mostrar-lhe, documentos à mão, que estava errada. A senhora Giua cuidava da filha de Lisetta, porque Lisetta, sendo muito jovem, não tinha ainda muita vontade de ser mãe para aquela filha, que lhe nascera sem que ela tivesse tido tempo de se dar conta, passando de repente, como passara dos sonhos de menina para a vida adulta, sem um instante para parar e pensar.

Lisetta era comunista e enxergava por toda parte, e em todo mundo, restos perigosos do Partido de Ação. Nessa época, o Partido de Ação, o pê-dê-á, como ela o chamava, já não existia mais: mas ela enxergava a sombra dele em todo canto. — Vocês são pê-dê-á! Vocês têm uma mentalidade incurável de pê-dê-á! — dizia a Alberto e Miranda. Vittorio, seu marido, olhava para ela como se olha um gato brincando com um rolo de barbante; e ria dela, estremecendo o queixo prepotente e saliente, os ombros fortes.

— Não se pode mais viver em Turim! Que cidade chata! — dizia Lisetta. — Uma cidade tão pê-dê-á! Eu não poderia mais viver aqui!

— Você tem razão! — dizia Alberto. — Morre-se de tédio! Sempre as mesmas caras!

— Como a Lisetta é boba! — Miranda dizia. — Como se existisse um lugar onde é possível divertir-se! Não existe mais diversão!

— Vamos comer caracóis! — dizia Alberto, esfregando as mãos. E saíam, atravessavam a Piazza Carlo Felice, as arcadas iluminadas, quase desertas às dez da noite.

Entravam num restaurante quase vazio. Não havia caracóis. Alberto pedia um prato de massa.

— Você não estava fazendo regime para emagrecer? — dizia Miranda; e Alberto lhe dizia: — Fique quieta! Você me corta as asas!

— Como Alberto é cansativo! — queixava-se Miranda à minha mãe, de manhã. — Está sempre irrequieto, sempre querendo fazer alguma coisa! Está sempre querendo comer alguma coisa, beber alguma coisa, ou ir a algum lugar! Vive querendo se divertir!

— É como eu — dizia minha mãe —, eu também gostaria de me divertir! Gostaria de fazer uma bela viagem!

— Que nada! — dizia Miranda. — Fica-se tão bem em casa!

— Talvez no Natal vá até San Remo, na casa da Elena — dizia. — Mas não sei se vou mesmo. No fundo, o que vou fazer lá? Dá na mesma ficar por aqui!

— Sabe que joguei no Cassino de San Remo? — contava à minha mãe, ao regressar. — Perdi! O bobo do Alberto também perdeu! Perdemos dez mil liras!

— A Miranda — contava minha mãe a meu pai — jogou no Cassino de San Remo. Perderam dez mil liras.

— Dez mil liras! — trovejava meu pai. — Mas olhe como são imbecis! Diga-lhes para não jogarem nunca mais! Diga-lhes que eu os proíbo terminantemente!

E escrevia para Gino: "O bobo do Alberto perdeu uma grande soma no Cassino de San Remo".

As ideias de meu pai sobre dinheiro, depois da guerra, tinham se tornado mais do que nunca nebulosas e confusas. Uma vez, ainda durante a guerra, pedira a Alberto que lhe comprasse dez latas de leite condensado. Alberto as procurara no mercado negro, pagando mais de cem liras cada uma. Meu pai perguntara quanto lhe devia. — Nada — dissera Alberto —, deixe para lá. — Meu pai dera-lhe quarenta liras e dissera: — Pode ficar com o troco.

— Sabe que as minhas Incet andaram caindo muito? — dizia Miranda à minha mãe. — Talvez venda! — E dava, como toda vez que falava de dinheiro ganho ou perdido, um sorriso alegre, penetrante e malicioso.

— Sabe que a Miranda irá vender suas Incet? — contava minha mãe a meu pai. — E diz que nós faríamos bem em vender os Imobiliários!

— Você acha que a parva da Miranda sabe muita coisa? — berrava meu pai.

Entretanto, tornava a pensar no assunto. Perguntava a Gino:

— Você também acha que eu deveria vender os Imobiliários? Foi Miranda quem disse. Sabe, Miranda entende de Bolsa. Tem muito faro. O pai dela, pobrezinho, era corretor de câmbio.

Gino dizia: — De Bolsa eu não entendo nada mesmo!

— Pois é, você não entende nada, é verdade! Nossa família tem pouco faro para os negócios.

— Nós, do dinheiro, só sabemos gastá-lo — dizia minha mãe.

— Está falando por você! — dizia meu pai. — Mas não vai dizer que eu gasto demais! Já faz sete anos que tenho esta roupa aqui!

— E realmente dá para ver, Beppino! — dizia minha mãe. — Está muito usada, toda puída! Deveria mandar fazer uma nova!

— Nem penso nisso! Imagine. Esta ainda está ótima. Ai de você se me diz para mandar fazer uma roupa nova!

— O Gino também — dizia — não é nada gastador. É modesto! Tem hábitos modestos! A Paola, sim, gasta demais. Todos vocês têm as mãos furadas, menos Gino! São todos uns megalômanos!

— Gino — dizia — é generoso com os outros, e é modesto consigo! O melhor de todos é o Gino!

Paola, às vezes, vinha de Florença. Vinha de automóvel, sozinha.

— Veio sozinha? De automóvel? — dizia-lhe meu pai. — Fez muito mal! É perigoso! Como você faz, se fura um pneu?

Devia vir com Roberto! Roberto entende bastante de carros. Tinha mania de automóveis, desde pequeno. Lembro que não falava de outra coisa!

E dizia: — Bem, conte-me sobre Roberto! — Roberto já estava um homem, e ia à universidade.

— Gosto muito de Roberto! Tem um gênio tão bom! — dizia meu pai. E dizia: — Porém, gosta muito de mulheres. Tome cuidado para que não se case! Que não lhe dê na telha casar-se!

Roberto tinha uma lancha e, no verão, costumava ir passear de lancha com seu amigo Pier Mario. Certa vez, tiveram um problema no motor, o mar estava agitado, e quase tinham se dado mal.

— Não o deixe sair de lancha com Pier Mario! É perigoso! — dizia meu pai a Paola. — Você precisa se impor! Não tem autoridade!

— A Paola não sabe educar os filhos — dizia à minha mãe, durante a noite. — São muito mimados, fazem tudo o que querem! Gastam demais! São uns megalômanos!

— A Tersilla está aí! — dizia Paola, entrando no quarto de passar. — Que maravilha ver a Tersilla!

Tersilla levantava-se, sorria descobrindo as gengivas, perguntava a Paola de seus filhos, da Lidia, da Anna, do Roberto.

Tersilla fazia calças para meus filhos. Minha mãe vivia com medo de que ficassem sem calças. — Senão vão ficar com a bunda de fora! — dizia. Com medo de que ficassem "com a bunda de fora", sempre mandava fazer cinco ou seis pares por vez. Eu e minha mãe brigávamos por causa dessa história das calças: — Eles não precisam de tantas calças assim! — eu dizia. E ela dizia: — Pois é, você é soviética! Você é pela vida austera! Mas eu quero ver as crianças bem-arrumadas! Não quero que andem com a bunda de fora de jeito nenhum!

Quando a Paola estava lá, minha mãe saía com ela, de braços dados, sob as arcadas, proseando e olhando as vitrines.

Desabafa-se a meu respeito com a Paola. — Não me dá corda! — dizia. — Não fala! E também é comunista demais! É uma verdadeira soviética!

— Sorte que eu tenho as minhas crianças! — dizia, referindo-se aos meus filhos. — Como são boazinhas! Como gosto delas! Gosto das três e não saberia qual escolher!

— Sorte que tenho as crianças, assim não me chateio. A Natalia, ela, deixaria os filhos sempre com a bunda de fora, mas eu não, eu as arrumo! Eu mando vir a Tersilla!

O velho alfaiate Belom morrera fazia tempo. Agora minha mãe mandava fazer as roupas numa loja sob as arcadas, chamada Maria Cristina. Para os pulôveres e as blusas, ia à Parisini.

— É da Parisini! — dizia, mostrando a Paola uma blusa que comprara: do mesmo jeito que dizia das maçãs servidas à mesa: — São *carpandue*!

— Venha — dizia a Paola —, vamos à Maria Cristina! Estava com vontade de mandar fazer um belo tailleur!

— Não faça um tailleur — dizia Paola —, já tem muitos! Não se vista muito à suíça! Em vez disso, faça um belo casaco preto, elegante, uma roupa boa, para você vestir de noite quando vai à Frances!

Minha mãe encomendava um casaco preto. Depois achava que não lhe caía bem nos ombros, e fazia a Tersilla consertá-lo em casa. Depois não o vestia do mesmo jeito. — É muito de madame! — dizia. — Quem sabe dou de presente à Natalina!

Mal Paola acabava de partir, encomendava um tailleur. Aparecia na Miranda, de manhã, com o novo tailleur.

— Mas como — dizia Miranda —, mandou fazer mais um tailleur!

E minha mãe dizia:

— Muitas roupas, muita honra!*

---

* Trocadilho com o dito popular italiano "muitos inimigos, muita honra".

Em Turim, Paola tinha suas amigas; e às vezes se encontrava com elas. E minha mãe sempre tinha um pouco de ciúme.

— Como é que você não está com a Paola? — perguntava Miranda, ao vê-la chegar. E minha mãe dizia: — Hoje ela saiu com a Ilda. Eu é que não gosto tanto assim dessa Ilda. Não é tão bonita. É alta demais! Não gosto de mulheres muito altas. E, depois, não para de falar na Palestina.

Ilda, agora, deixara a Palestina; mas falava de lá do mesmo jeito. O irmão, Sion Segre, tinha uma indústria de produtos farmacêuticos. Ele e Alberto continuavam amigos.

Alberto dizia a Paola:

— Hoje à noite, vamos com a Ilda e o Sion comer caracóis?
— Eu não gosto de caracóis — dizia minha mãe.

E ficava em casa, assistindo à televisão. Meu pai desprezava a televisão, dizia que era uma parvoíce: porém, ao mesmo tempo, aprovava que minha mãe assistisse, porque fora um presente de Gino. Aliás, se uma noite ela não a ligava e ficava na poltrona lendo um livro, ele dizia:

— Por que não liga a televisão? Ligue! Do contrário, é inútil ter uma! Gino deu-a de presente para você, e você não assiste! Você o fez jogar dinheiro fora, agora assista pelo menos.

À noite, meu pai ficava lendo em seu escritório. Minha mãe assistia à televisão com a empregada.

Depois da Natalina, minha mãe tivera sempre empregadas do Vêneto. Mandava buscá-las num lugarejo, chamado Motta di Livenza.

Tivera uma que certa noite cuspiu sangue. Ficamos todos muito assustados; e Alberto, chamado às pressas, disse que no dia seguinte devíamos mandá-la tirar uma radiografia. A mulher chorava, desesperada; porém, Alberto disse que não lhe parecia ser uma hemoptise, parecia-lhe mais um arranhão na garganta.

De fato, o resultado da radiografia foi negativo. Era um arranhão na garganta. Assim mesmo, a mulher chorava, sempre desesperada; e meu pai disse:

— Esses proletários, que medo de morrer eles têm!

Minha mãe, toda vez que a Paola partia, abraçava-a chorando:

— Como eu sinto que você vá embora! Agora tinha me acostumado com você aqui!

E a Paola dizia:

— Venha passar um tempo comigo em Florença!

— Não posso — dizia minha mãe —, o papai não me deixa. E depois, a Natalia vai trabalhar, e eu preciso tomar conta das minhas crianças.

Paola, ao ouvi-la dizer "as minhas crianças", zangava-se, porque sentia uma ponta de ciúme delas.

— Não são as suas crianças! São seus netos! Meus filhos também são seus netos! Venha passar um tempo com os meus filhos!

Minha mãe às vezes ia. — Vá ver a Mary também! — dizia-lhe meu pai. — Trate de fazer logo uma visita a Mary!

— Vou com certeza — dizia minha mãe. — Estou com vontade de ver a Mary! Gosto da Mary!

— Como a Mary é simpática! — dizia ao voltar. — É tão distinta! Nunca vi ninguém tão distinto como a Mary! Diverti-me muito em Florença. Gosto de Florença. E a Paola tem aquela casa tão linda!

— Eu, ao contrário, detesto Florença. Detesto a Toscana — dizia meu pai. Durante a guerra, quando não se achava azeite, Paola mandava-lhe azeite, porque ela tinha oliveiras no terreno em torno de sua casa de Fiesole; e meu pai esbravejava: — Não quero azeite! Detesto azeite! Detesto a Toscana! Não quero gentilezas!

— A Paola não bancou a burra com você, bancou? — perguntava à minha mãe.

— Não! Coitada da Paola! De manhã, mandava servir meu café na cama. Fazia uma boa refeição, ali na cama, no quente! Passava muito bem!

— Menos mal! Porque a Paola de vez em quando é uma burra!

— E o que impede você de tomar café na cama aqui também? — perguntava Miranda à minha mãe.

— Aqui não, aqui eu me levanto! Tomo logo uma ducha gelada. Depois jogo minha paciência, bem agasalhada, bem coberta, e enquanto isso vou me esquentando!

Jogava sua paciência, na sala de jantar. Entrava Alessandra, minha filha: sombria, brava, porque não gostava de levantar-se de manhã, nem de ir à escola. E minha mãe dizia: — Lá vem a Maria Temporala!

— Vamos ver se em breve farei uma bela viagem. Vamos ver se alguém me dá uma bela casinha de campo. Vamos ver se Gino vai ficar muito famoso. Vamos ver se o Mario, em vez daquele cargo da Unesco, consegue outro mais importante ainda.

— Vanilóquio! — dizia meu pai, passando. — Sempre este eterno vanilóquio!

Vestia o impermeável, para ir ao laboratório; agora não ia mais ao laboratório antes do amanhecer. Agora, ia às oito da manhã. À porta, dava de ombros e dizia:

— Quem você quer que lhe dê uma bela casinha de campo? Você não passa de uma parva mesmo!

Todas as noites eu ia à casa dos Balbo. Às vezes, encontrava Lisetta lá: Vittorio não, porque raramente ele vinha a Turim, e, quando vinha, preferia passar a noite com Alberto, seu velho amigo.

Lisetta e a mulher de Balbo eram amigas. Lola, a mulher de

Balbo, era aquela moça odiosa e lindíssima que em outros tempos eu via à janela, ou via no Corso Re Umberto, caminhando com passos largos e desdenhosos.

Lola e Lisetta tinham se tornado amigas na época em que eu estava no confinamento. Quando Lola tinha deixado de ser odiosa, eu ignoro. Quando eu e ela nos tornamos amigas, explicou-me que sabia muito bem que, outrora, era odiosa; aliás, tentava parecer o mais odiosa possível: tinha o espírito endurecido pela timidez, pela insegurança, pelo tédio. E ainda, em nossa amizade, eu volto sempre com profundo espanto à antiga imagem odiosa e soberba, tão odiosa que, no raio de seu olhar, eu me sentia um verme: e era induzida, no mesmo instante, a odiá-la e a mim também. Volto àquela imagem e a comparo com a imagem familiar e fraterna da minha amiga de hoje: entre as imagens mais fraternas e familiares com que posso contar no mundo.

Na época em que eu estava no confinamento, Lola tinha trabalhado como secretária na editora, por um curto período. Porém, era uma péssima secretária e esquecia-se de tudo. Depois tinha sido detida pelos fascistas e passara dois meses na cadeia. Casara-se com Balbo, durante a Ocupação alemã, entre fugas e disfarces. Continuava muito bonita, mas já não usava mais os cabelos cortados à pajem, compactos, como um elmo de ferro; agora usava os cabelos desalinhados e caindo nas faces, cabelos de hindu, não de mulher hindu, mas de homem hindu, fustigados pelo sol e pela chuva: e o antigo perfil duro e imóvel transformara-se num rosto ansioso e franzido, nu e fustigado pelas intempéries, pela chuva e pelo sol. No entanto, às vezes ainda, por alguns instantes, reaparecia o antigo perfil de desprezo, o antigo andar balouçante e desdenhoso.

Meu pai, todas as vezes que a mencionavam, ia logo dizendo que era lindíssima.

— A Lola Balbo é muito linda! Ah, é muita linda!

E dizia: — Sei que os Balbo se dão muito bem na montanha. Sei que são muito amigos de Mottura.

Mottura era um biólogo que meu pai estimava. A amizade dos Balbo com Mottura o tranquilizava a respeito de minhas noitadas. Toda vez que eu saía à noite, ele dizia à minha mãe:

— Aonde vai? Vai à casa dos Balbo? Os Balbo são muito amigos de Mottura!

E dizia: — Como é que são tão amigos de Mottura? Como é que se conhecem?

Meu pai tinha sempre a curiosidade de saber por que uma pessoa era amiga da outra. — Como o conhece? Como se conheceram? — perguntava inquieto. — Ah, talvez por causa da montanha! Devem ter se conhecido na montanha! — E estabelecendo assim a origem de uma relação entre duas pessoas, sossegava; e, se estimava uma das duas, estava pronto a acolher também a outra numa benévola aprovação.

— Lisetta também frequenta os Balbo? Como é que ela os conhece?

Os Balbo moravam no Corso Re Umberto. Tinham uma casa no andar térreo, e a porta estava sempre aberta. Pessoas entravam e saíam continuamente: amigos de Balbo, os quais o acompanhavam à editora, seguiam-no até o café Platti, onde ele costumava tomar um *cappuccino*, voltavam com ele para casa e ficavam conversando com ele até tarde da noite. Se, ao passarem lá, não o encontrassem em casa, sentavam-se na sala de visitas do mesmo jeito e conversavam entre si, perambulavam pelos corredores, empoleiravam-se na mesa do escritório, tendo todos aprendido com ele a não ter horários, a nunca se lembrar de ir jantar, e a discutir sem trégua.

Lola já estava farta de ter sempre tanta gente pela casa. No entanto, fazia o que tinha que fazer assim mesmo; cuidava do filho, com um misto de apreensão e de fastio: pois ela também, como Lisetta, não sabia desempenhar o papel de mãe muito bem, tendo passado das névoas da adolescência às intempéries da vida adulta, bruscamente, sem solução de continuidade.

De vez em quando, depois de deixar o filho com a mãe ou com a sogra, gostava de se vestir com grande elegância, de usar pérolas, joias e de sair pelo Corso Re Umberto, como antigamente, caminhando com passos lentos e com os olhos entreabertos, cortando o ar com o perfil aquilino. Quando voltava para casa e encontrava ainda as mesmas pessoas que lá deixara, discutindo sentadas no banco de entrada ou empoleiradas nas mesas, soltava um guincho irritado, longo, gutural, no qual ninguém reparava.

Na ausência do marido, costumava nomeá-lo com epítetos carinhosos, e lamentar sua ausência momentânea com um guincho longo e gutural, mas terno, como de pomba chamando o companheiro; mal via o marido, punha-se imediatamente a repreendê-lo, ou porque ele sempre chegava atrasado para comer, ou porque, ao sair, deixara-a sem um tostão para fazer as compras, ou porque se dizia irritada com aquela porta de casa sempre aberta e aquela gente entrando e saindo; assim, começavam a brigar, ele armado de sutis cavilações, e ela de nada mais que sua fúria, e as razões e os erros de um e de outra mesclavam-se num emaranhado inextricável. De resto, nunca estavam a sós, nem mesmo quando brigavam; e ela lançava também sobre os amigos, ao acaso, um insulto ou outro, gritando que fossem embora; mas eles nem sonhavam em arredar o pé dali e esperavam, calmos e divertidos, a tempestade passar.

Às refeições, Balbo comia sempre as mesmas coisas, ou seja: arroz na manteiga; um bife; uma batata; uma maçã. Essas eram as coisas que ele devia comer, por causa da ameba que tivera durante a guerra; — Tem bife? — perguntava inquieto, sentando-se à mesa; e logo que o tranquilizavam sobre esse ponto, punha-se a comer distraído, continuando ao mesmo tempo a conversar com seus amigos, sempre presentes à sua refeição, e a brigar, discutindo com sutis cavilações, com sua mulher. — Que chato! — dizia Lola voltada para os amigos. — Acho ele um chato! Sim, tem bife, sim! Que chatice, sempre com esses bifes! Se ainda uma vez comesse ovos fritos! — E lembrava o tempo da Resistência em Roma, quando estavam escondidos e sem uma lira, e ela precisava correr a cidade para arranjar-lhe, no mercado negro, a manteiga, o bife e o arroz. Balbo explicava que não podia comer ovos fritos, que lhe faziam mal; e comia sério, distraído, indiferente à espécie de bife que estava comendo, contanto que fosse, sem qualquer sombra de dúvida, um bife grelhado.

— Não gosto desses seus amigos! — Lola se queixava. — Não têm uma vida privada, não têm mulheres, filhos, ou se têm não ligam para eles! Estão sempre aqui!

No sábado e no domingo a casa ficava deserta. Lola deixava o filho com a sogra, e iam esquiar, ela e o marido.

— Como estava amável, ontem! — dizia Lola do marido na manhã da segunda-feira, dirigindo-se aos amigos ali presentes. — Estava tão amável, precisavam ver. Sabe esquiar como um professor de esqui! Parece um bailarino! Não estava absolutamente chato, divertimo-nos tanto! Agora, olhem só, está chato de novo!

Às vezes, ela e o marido iam dançar nos nightclubs. Dançavam, os dois, até tarde da noite. — Divertimo-nos tanto! — Lola dizia depois: — Ele dança a valsa tão bem! Dança tão ligeiro! — e lançava, endereçando ao marido que nesse momento estava no escritório, aquele seu guincho gutural e terno de pomba, pendurando o vestido de noite no guarda-roupa.

Balbo, às vezes, dizia à mulher: — Compre um vestido de noite novo. Acho divertido. — Ela, para diverti-lo, comprava um vestido: e depois não ficava satisfeita, descobria que era um vestido absurdo, que ela nunca vestiria. — Aquele idiota! — dizia. — Para diverti-lo, tive que comprar um vestido que não tem sentido nenhum!

Lola nunca mais tinha trabalhado, depois daquele curto período em que fora secretária na editora. Ela e o marido estavam de acordo em afirmar que tinha sido uma péssima secretária. Mas ambos também estavam de acordo em afirmar que algum trabalho para ela devia existir; não se sabia direito qual, era preciso descobri-lo, Balbo pedia também para eu descobrir, entre milhares de trabalhos de que formigava a terra, um trabalho que a Lola pudesse fazer bem.

Lola sempre costumava lembrar com saudade do tempo que passara na prisão. — Quando eu estava na cadeia — dizia com frequência. Na cadeia, dizia, sentira-se muito à vontade, bem finalmente, em paz consigo mesma, livre de complexos e de inibições. Fizera amizade com moças iugoslavas, que estavam presas por motivos políticos, e até com as detentas comuns; encontrava para elas as palavras certas, e conquistara-lhes a confiança; e as outras presas apertavam-se ao seu redor, para receber ajuda e conselho. As conversas que Balbo e sua mulher tinham em torno de um possível trabalho para ela acabavam sempre "na cadeia", e ambos concluíam que era preciso procurar um trabalho em que ela se sentisse, como quando estava na cadeia, completamente à vontade, livre e sem inibições, e em pleno domínio de suas forças. Um trabalho assim, porém, não parecia fácil de arranjar. Aconteceu-lhe adoecer, mais tarde, e precisou passar um breve tempo num hospital: e no hospital reencontrou, entre as moças doentes, um pouco de sua força de líder que renascia, evidentemente, nos momentos dramáticos, de tensão, de risco e de emergência.

Lisetta tinha arranjado um trabalho em Roma: empregara-se na associação Itália-URSS. Tinha aprendido o russo: pusera-se a estudá-lo, logo depois da guerra, com a Lola e eu; e ela o aprendera; nós, ao contrário, tínhamos parado no caminho. Lisetta, então, ia todos os dias ao escritório: conseguia levar a casa adiante, e agora também cuidava dos filhos: dos filhos, porém, fingia não cuidar, e fingia que eram, apesar de pequeninos, completamente independentes dela. Nas férias, continuava vindo a Turim: e trazia os filhos consigo. Quando lhe perguntávamos onde estavam as crianças, dava uma de distraída e avoada, e dizia que não estava bem lembrada de onde os deixara; gostava de dar a entender que os mandava brincar sozinhos na rua. Na verdade, as crianças estavam no jardim público, com a avó e a babá tomando conta; e logo que escurecia ela ia buscá-los, com cachecóis e gorros, tendo se tornado, sem dar por isso e sem confessar nem a si mesma nem a ninguém, uma mãe carinhosa, escrupulosa e apreensiva.

Além disso, vivia fingindo estar em polêmica com o marido, por motivos políticos. Na verdade, era mansa como um cordeiro com o marido, e essencialmente incapaz de ter uma opinião diferente da dele. Por outro lado, não havia nenhuma diferença real entre as opiniões políticas de ambos. O Partido de Ação, o pê-dê-á, já se perdera na noite dos tempos, sem deixar rastros nos arredores: mas Lisetta dizia sempre ver a sua sombra aparecer por toda parte, e principalmente entre as paredes de sua casa. Logo que seus filhos começaram a conversar, ela, imediatamente, entrou em polêmica com eles também: sobretudo com a filha mais velha, que era sentenciosa e sarcástica, e respondia-lhe com aspereza: de modo que mãe e filha discutiam demoradamente diante de um prato de carne, pondo na dança pobres e ricos, as esquerdas e as direitas, Stálin, os padres e Jesus.

— Não banque a condessa! — dizia Lisetta à sua amiga Lola, quando a via cobrir-se de joias e pintar-se diante do espelho.

Acabava ela também passando um pouco de sombra escura nos olhos, pouco, quase nada; e saíam pelo Corso Re Umberto, pelas alamedas, Lisetta com o impermeável aberto e os magros pés de menina nus nas sandálias, Lola com seu casaco preto apertado de botões grandes, o broche espetado na gola, o nariz aquilino empinado cortando o ar, o antigo andar balouçante e desdenhoso.

Iam à editora. Encontravam Balbo no corredor conversando, ou com algum padre, ou com Mottura, ou com um daqueles seus amigos que o tinham acompanhado de casa.

— Ele não larga dos padres! — dizia Lisetta de Balbo. — Tem um monte deles! — Dele não dizia "tem uma mentalidade de pê-dê-á", era, aliás, uma das poucas pessoas de quem não dizia isso; e Balbo, às vezes, acusava-a de ser ela mesma "um pouco pê-dê-á", acusava-a de ser talvez o último pê-dê-á ainda em circulação. Ela, ao contrário, acusava-o de ser demasiadamente católico: e, ao mesmo tempo, estava disposta a perdoá-lo por isso, como, pelo mesmo motivo, não teria perdoado pessoa alguma no mundo: porque conservava ainda, da própria infância, a lembrança de quando Balbo a fascinava com sua loquacidade, vindo trazer-lhe os livros de Croce, aos domingos.

— Um conde! No fundo é um conde! No fundo são um conde e uma condessa! — dizia, pensando nos Balbo quando estava em Roma, longe deles. Em Roma, via amigos que lhe agradavam muito menos, e com os quais não tinha diferenças, mas também não tinha vínculos estreitos de lembranças; com os quais, na verdade, se aborrecia um pouco. Mas não o confessava a si mesma. O fato de Balbo ser de família nobre, e de ser católico, parecia-lhe, de longe, fazer vacilar todos os raciocínios que ele engendrava quando ambos se encontravam. Porém, toda vez que voltava a Turim, sentia-se tremendamente atraída pela casa dos Balbo: e, ao mesmo tempo, não era capaz de dizer a verdade a si mesma; dizer: — São meus amigos, gosto deles e não me incomoda absolutamente se as opiniões deles são verdadeiras ou falsas, não me incomoda absolutamente que ele goste tanto dos padres.

— Porque em sua natureza ingênua, terna, infantil, as opiniões e as ideias suas e dos outros germinavam e ramificavam-se como imensas árvores frondosas, ocultando e cobrindo a seus olhos o claro espelho de sua própria alma.

Mottura passava tanto tempo com Balbo, que na editora fora criado um verbo: "motturar". — O que Balbo está fazendo? Está motturando! Está motturando, naturalmente! — dizíamos. Balbo, depois de ter conversado com Mottura, ia até o editor contar-lhe as propostas que Mottura fazia a respeito da coleção científica, da qual ele, Balbo, não devia absolutamente se ocupar: mas costumava meter o nariz nas mais diferentes coleções, e dizer o que achava. Balbo não tinha qualquer noção científica, embora tivesse feito, antes de matricular-se em direito e em sua desorientação juvenil, dois anos de medicina; mas desses dois anos não conservava a mínima lembrança. Mottura era o único cientista que conhecia; fora meu pai, com o qual, naqueles anos distantes, tinha prestado o exame de anatomia; mas sentia-se instigado, pelas conversas com Mottura, a procurar livros científicos, que não lia, e nos quais metia apenas por um instante, aqui e ali, seu nariz vermelho. No entanto, conversando com Mottura, estava sempre pronto a pegar no ar opiniões e ideias. Falava com Mottura por puro prazer, e não certamente com o objetivo de arrancar-lhe opiniões e propostas; além disso, nunca tinha um objetivo determinado ao conversar com as pessoas: e se a princípio tinha um, esquecia-se dele logo a seguir. Sua conversa corria no fio de uma busca desinteressada, pura e completamente destituída de objetivo. Mas costumava fazer desaguar na editora uma parte do que aprendera, como quem, cagando por pura necessidade de cagar, tem consciência, no entanto, de estar adubando um campo. A concepção que ele tinha do trabalho não teria sido possível, nem tolerada, num lugar que não fosse aquela editora. Em outro lugar e mais tarde, aprendeu realmente a trabalhar de modo diferente. Porém, nessa época, trabalhava assim; e, até a noite, não se dava conta do cansaço, mas na hora de deitar sentia-se exausto. Nessa época, também estava escrevendo um livro: e quando é que achava tempo para escrevê-lo, era coisa que não dava para ninguém entender: contudo, ele o escrevia, pois a certa altura mandou publicá-lo: pedindo aos outros que lhe revisassem as provas, que ele não sabia revisar as provas, passava meses em cima delas e não enxergava os erros.

À noite, eu me demorava até tarde na casa dos Balbo. Lá, fixos, havia sempre três amigos dele: um baixo de bigodinho, um alto que de rosto parecia com Gramsci, e um outro rosado e encaracolado, que vivia sorrindo. O que vivia sorrindo, depois, foi trabalhar na editora, recebendo o encargo de cuidar da coleção científica: e parecia uma coisa muito esquisita, por não se ter notícia de que ele alguma vez tivesse lidado com qualquer forma de ciência; mas evidentemente conseguia dar conta do recado, pois manteve o cargo durante anos, e até veio a se tornar diretor dessa coleção, sempre com aquele seu sorriso manso, desarmado, triste, sempre escancarando os braços e afirmando não saber nada de ciência; finalmente, saiu de lá e montou uma editora de livros científicos por conta própria.

Balbo, quando parava um instante de discutir com esses amigos, expunha a Pavese e a mim suas ideias sobre nosso modo de escrever. Pavese escutava-o, sentado numa poltrona, embaixo da luz, fumando o cachimbo, com um sorriso maligno: e de todas as coisas que Balbo lhe dizia, ele dizia que já sabia delas há muito tempo.

Entretanto, escutava com vivo prazer. Tinha sempre, nas relações conosco, seus amigos, um fundo irônico, e costumava analisar-nos e conhecer-nos com ironia; e essa ironia, que talvez estivesse entre as coisas mais bonitas que tinha, ele nunca sabia usá-la nas coisas que tomava a peito, não em suas relações com as mulheres por quem se apaixonava, não em seus livros: usava-a somente na amizade, porque, nele, a amizade era um sentimento natural e de algum modo desleixado, ou seja, era algo a que ele não dava excessiva importância. No amor e também na escrita, mergulhava com um tal estado de espírito de febre e de cálculo, a ponto de nunca saber rir disso, e de nunca ser ele mesmo por inteiro: e às vezes, quando agora penso nele, sua ironia é a coisa de que mais me lembro e sinto saudade porque não existe mais: não há sombra dela em seus livros, e não é possível encontrá-la em outro lugar a não ser no vislumbre daquele seu sorriso maligno.

Quanto a mim, desejava profundamente ouvir falar de meus livros. As palavras de Balbo, às vezes, pareciam-me de uma penetração fulminante. No entanto, sabia muito bem que costumava ler somente algumas linhas dos livros. Em seus dias não havia nem tempo nem espaço para a leitura. Mas ele supria a falta de tempo e de espaço com uma intuição pronta e aguda, que o levava a formar uma opinião com o simples auxílio de poucas frases. À distância acontecia-me odiar, às vezes, aquele seu modo de formar uma opinião, e acusava-o de ser superficial. Estava errada, porém, porque ele era tudo, menos genérico e superficial. Não poderia extrair, de uma leitura atenta e demorada, uma opinião mais completa e profunda. De genérico e superficial, em seus comentários sobre os livros ou sobre as pessoas, havia somente os conselhos práticos: porque ele não sabia dar conselhos práticos, nem aos outros, nem a si mesmo. O conselho prático que me dava, quando comentava meus livros ou quando me via triste, era frequentar mais ativamente as reuniões de célula ou de seção do Partido Comunista, ao qual eu pertencia então. Aquilo lhe parecia, no meu caso, um meio para eu abrir uma passagem no mundo real, do qual me dizia separada; e por outro lado, nessa época, nos anos do pós-guerra, era opinião bastante difundida que os escritores devessem, através dos partidos de esquerda, romper o círculo de sombra e misturar-se à realidade viva. Eu, então, não tinha condições de declarar errado esse seu conselho, mas simplesmente sentia-me mais infeliz e completamente desorientada: e, ao mesmo tempo, obedecia-lhes e ia àquelas reuniões que, no íntimo do meu espírito e sem ter condições de confessá-lo, achava tristes e aborrecidas.

Mais tarde, compreendi que não era preciso de modo nenhum seguir seus conselhos práticos. Era necessário libertar suas palavras de toda sugestão prática. Despidas de qualquer conteúdo prático, suas palavras eram indicativas e fecundas. Mas nessa época eu me sentia levada a segui-lo passo a passo, e a cometer, passo a passo, os mesmos erros que ele cometia. Quanto a Pavese, cometia outros erros por conta própria, porém não os mesmos, e tropeçava em outros caminhos, onde andava sozinho, com jeito desdenhoso e obstinado, e com ânimo dolente e manso.

Pavese cometia erros mais graves que os nossos. Porque nossos erros eram gerados por impulso, imprudência, estupidez e candura; e os erros de Pavese, ao contrário, nasciam da prudência, da astúcia, do raciocínio e da inteligência. Nada é tão perigoso como essa espécie de erro. Podem ser mortais, como foram para ele, porque é difícil voltar pelos caminhos em que se errou por astúcia. Os erros que se cometem por astúcia envolvem-nos estreitamente: a astúcia finca em nós raízes mais profundas do que a irreflexão ou a imprudência: como se desprender desses laços tão tenazes, tão apertados, tão profundos? A prudência, o raciocínio, a astúcia têm o rosto da razão: o rosto, a voz amarga da razão, que argumenta com seus argumentos infalíveis, aos quais não há nada a responder, só a concordar.

Pavese matou-se num verão em que nenhum de nós estava

em Turim. Preparara e maquinara as circunstâncias que diziam respeito à sua morte, como alguém que prepara e predispõe o curso de um passeio ou de uma noitada. Não gostava de que houvesse nos passeios e nas noitadas nada de imprevisto ou de casual. Quando ele, eu, os Balbo e o editor íamos passear na colina, irritava-se muito se algo desviava o curso predisposto por ele, se alguém chegava tarde ao encontro, se mudávamos o programa de repente, se se juntava a nós uma pessoa imprevista, se uma circunstância fortuita nos levava a comer, em lugar do restaurante que ele escolhera previamente, na casa de algum conhecido encontrado inesperadamente pelo caminho. O imprevisto incomodava-o. Não gostava de ser pego de surpresa.

Falara em se matar durante anos. Nunca ninguém acreditou nele. Quando vinha à nossa casa, minha e de Leone, comendo cerejas, e os alemães tomavam a França, já então falava nisso. Não pela França, não pelos alemães, não pela guerra que estava assaltando a Itália. Tinha medo da guerra, mas não o suficiente para se matar por causa dela. Porém, continuou tendo medo da guerra, mesmo depois que a guerra tinha acabado havia muito tempo: como de resto todos nós. Pois logo que a guerra terminou, aconteceu-nos de voltarmos imediatamente a ter medo de uma nova guerra, e a pensar sempre nisso. E ele temia uma nova guerra mais do que nós todos. E nele o medo era maior do que em nós: nele, o medo era o turbilhão do imprevisto e do incognoscível, que parecia horrendo à lucidez de seu pensamento; águas escuras, turbulentas e venenosas nas margens despojadas de sua vida.

No fundo, não tinha nenhum motivo real para se matar. Mas juntou mais motivos e calculou a soma deles, com fulminante exatidão, e juntou-os novamente e novamente viu, assentindo com seu sorriso maligno, que o resultado era idêntico e portanto exato. Olhou até além de sua vida, nos nossos dias futuros, olhou como iriam se comportar as pessoas em relação aos seus livros e à sua memória. Olhou para além da morte, como os que amam a vida e não sabem apartar-se dela, e mesmo pensando na morte não vão imaginando a morte, mas a vida. Ele, no entanto, não amava a vida, e aquele seu olhar para além da própria morte não era amor pela vida, mas um cálculo cuidadoso de circunstâncias para que nada, nem mesmo depois de morto, pudesse pegá-lo de surpresa.

Balbo foi morar em Roma e deixou a editora. Depois se enredou durante anos em projetos absurdos e erros. Finalmente, teve um trabalho de verdade. Aprendeu a trabalhar como as outras pessoas: no entanto, esquecia-se sempre da hora do almoço, e de sair quando o escritório se esvaziava, como lhe acontecia antigamente na editora. Por isso trabalhava mais do que as outras pessoas, mas sem se dar conta e percebendo com surpresa, à noite, o próprio cansaço.

Agora os Balbo tinham três filhos: e tentaram tornar-se um verdadeiro pai e uma verdadeira mãe, coisa de que ambos eram incapazes, e que lhes pesava. Costumavam acusar-se reciprocamente dessa incapacidade, todos os dias. Nenhum dos dois afirmava saber educar as crianças: mas cada um deles exigia do outro que fosse o que o outro não era. Balbo tentava ensinar aos filhos uma coisa que sabia bem, ou seja, a geografia: porque, de todas as outras matérias estudadas na escola, não lembrava nada, mesmo tendo sido, pelo que dizia, um ótimo aluno.

Porém, nunca tocava em assuntos históricos com eles, um pouco porque não sabia história, e um pouco porque tinha medo de que se insinuassem, nos fatos históricos, julgamentos e opiniões políticas: e ele não queria oferecer a seus filhos opiniões já formuladas: achava que deviam formar suas opiniões e juízos por conta própria. E isso parecia esquisito em alguém como ele que durante tanto tempo fora agressivo e metido com seus amigos ao emitir juízos e opiniões: e agressivo e metido também ao recebê-los, ou seja, no tornar suas as opiniões alheias, no fundi-las e misturá-las, e no imprimir-lhes a marca de seu pensamento. Com os filhos, mostrava-se extremamente cauteloso em provê-los do alimento de seu pensamento.

Lola e seu marido, portanto, nunca falavam de política na presença dos filhos: ela, porque odiava o sectarismo; ele, porque achava que era preciso abster-se de tocar em assuntos complexos com as crianças. E já que ambos temiam confundir-lhes as ideias e inspirar-lhes desconfiança e incerteza em relação à autoridade constituída, na presença dos filhos não falavam da história da cadeia.

Quanto a Lola, costumava construir para si um ideal de filhos completamente diferentes dos que tinha, e comparar a todo instante esse ideal com seus próprios filhos preguiçosos, desordeiros e distraídos. Por isso não parava de repreendê-los, com seu jeito rude e caótico, que não amedrontava ninguém, mas apenas espalhava pela casa uma sensação confusa de incômodo, de barulho e de caos. Ao mesmo tempo, ela também construía um ideal de marido e de pai completamente diferente daquilo que Balbo era e jamais poderia se propor a ser, e de vez em quando lançava, endereçando ao marido e aos filhos, um longo guincho gutural e irritado, igual àquele com que antigamente se queixava das pessoas que zanzavam pela casa.

Na sua casa de Roma não havia pessoas entrando e saindo, como no Corso Re Umberto, em Turim. Aliás, agora tinham poucos amigos, e contidos num círculo de horas razoáveis; tratava-se de pessoas às quais Balbo, às vezes, não tinha nada de especial a dizer, com as quais espaçadamente calava ou conversava brincando. Aplacara-se nele o falar antigo e prepotente. Direcionava, agora, a própria inteligência para objetivos precisos, dirigia-a para pessoas exatas e em momentos determinados do dia, entrando depois no silêncio como se fecha uma persiana quando a noite vem.

Às vezes ainda, quando estavam viajando sozinhos ou quando os rapazes estavam de férias, Balbo e sua mulher aproveitavam os dias e as noites do modo costumeiro, descansavam à vontade, passeavam ao acaso pelas ruas, e ele a fazia comprar os vestidos e os sapatos que o divertiam, ou iam dançar nos nightclubs.

Lola, finalmente, arranjou um trabalho. Não o escolheu, mas, antes, tropeçou nele numa hora em que nem pensava nisso. Talvez não fosse o trabalho que teria escolhido, se pudesse ter escolhido: e não era nada parecido com sua prisão, ou seja, com o momento que considerava o melhor e o mais alto de sua vida. No entanto, conseguia realizá-lo bem, e usar nele um pouco de sua inteligência: embora usasse também sua desordem, sua impaciência, sua irrequietação e sua vontade de brigar. A vontade de brigar, ela a descarregava principalmente diante dos guichês das agências dos correios, onde às vezes, por causa do trabalho, ia expedir folhetos e pacotes.

Trabalhava com certos juízes. Desempenhava o trabalho, habitualmente, entre as paredes de casa, e, ao mesmo tempo, berrava ordens à empregada e às crianças, telefonava à sogra e às suas amigas, e experimentava vestidos. Esse trabalho acrescentou caos ao caos. Às vezes, precisava fazer pacotes; então, de repente, decidia que seus filhos é que deviam fazê-los, tendo construído repentinamente a imagem de filhos destros e hábeis em fazer pacotes. Por isso berrava: — Luucaaa! — e Luca aparecia, gordo, todo manchado de tinta, perdido nas névoas da indolência e lento e indiferente como um príncipe, e ela lhe ordenava que fizesse imediatamente uns vinte pacotes. Luca nunca na vida fizera um pacote. Ela punha em suas mãos um bloco de papel e um rolo de barbante. Luca vagava pela casa com aquele barbante, absorto, esquecido e indolente, movendo-se devagar e sem nenhum objetivo até que, de repente, ela o cobria de berros e arrancava-lhe o barbante da mão, e ele, então, olhava para ela com seus olhos verdes, arrogantes, imóveis, das lonjuras de seu silêncio real.

No inverno, os Balbo iam sempre à montanha esquiar. Agora, levavam os filhos com eles. Porém, precisavam atingir o Norte: desprezando as montanhas baixas, ventosas e apinhadas dos arredores de Roma. Iam para Sestrières, ou até para a Suíça; e lá, nos campos de neve, Lola estava livre, esquecida de seus juízes, esquecida dos estudos de seus filhos, da empregada que talvez gastasse óleo demais, de seus maus humores e de seus eternos ressentimentos. Mas, para conquistar aquela liberdade, antes havia, em Roma, dias de caos total, incoercível, de malas feitas e desfeitas, de malhas perdidas e de berros, de corridas de se perder o fôlego pela cidade, de ordens ditas e desditas, em meio à empregada apavorada e a Luca impenetrável e manchado de tinta, toques de telefone e encontros com juízes.

No verão, Lola também ia tomar banho em Ostia. Ia sozinha, porque seu marido não gostava muito do mar, e seus filhos, nessa época, estavam, igualmente fora de Roma, em seus acampamentos de escoteiros. Ia lá com pessoas ocasionais, usadas unicamente para uma finalidade determinada: virem apanhá-la de carro e trazê-la de volta para casa. Com essas pessoas ocasionais, mantinha conversas que não a aborreciam, nem a divertiam, tendo seu temperamento um lado mundano, alheio à diversão e ao aborrecimento, ligado habitualmente a um interesse imediato, ser acompanhada de automóvel ou obter endereços de tapeceiros. Costumava complicar sua vida prática, procurando tapeceiros distantes, marceneiros que eram baratos, mas não tinham telefone, lojas de tecidos no fim do mundo, onde podia conseguir pequenos descontos, graças àqueles conhecimentos ocasionais. Em Ostia, no entanto, aproveitava a praia sozinha, nadando ao longe, secando-se ao sol e bronzeando-se de modo inverossímil, embora os médicos a tivessem aconselhado a não passar muito tempo ao sol, por causa daquela doença que tivera antigamente e que sempre lhe dava muito medo, mas não o suficiente para evitar o mar, o sol e a areia. Voltava para o almoço às quatro, e lançava pela casa, dirigindo ao marido, seu guincho gutural e terno, sentindo-se acalmada por aquela manhã de liberdade e de folga, e amando o verão, o calor e ter os filhos no acampamento, e o zanzar pela casa em trajes de banho e com os pés descalços.

Eu ainda estava em Turim; mas vinha frequentemente a Roma, e me preparava para ir morar lá em definitivo. Tinha me casado novamente, e meu marido lecionava em Roma; procurávamos casa, e dentro em pouco eu levaria as crianças para lá, e nos instalaríamos em Roma para sempre.
Ia visitar os Balbo. Continuávamos sendo amigos e conversávamos sobre os tempos de antigamente. Dizia a Balbo: — Lembra quando fazíamos autocrítica?
Estava muito em uso entre nós fazer a autocrítica, antigamente, na época do pós-guerra: ou seja, após ter cometido erros, analisá-los e dissecá-los em voz alta. Enredávamos erros sobre erros; e a autocrítica chegava a sobrepor-se aos erros, enredava-se e confundia-se com os próprios erros, do modo como a música se confunde com as palavras de uma ópera, obscurece seu sentido e as leva consigo em seu ritmo de glória.
Eu dizia: — Lembra quando fazíamos os comícios?
Lola, lembrando os comícios do marido, ainda suspirava de pena, porque o revia lá, pequeno nos palanques de madeira, em meio a bandeiras agitadas, acima da praça apinhada de gente; lá,

ele desfiava frases com a voz indecisa, coçando de quando em quando com o indicador o cocuruto da cabeça. Vinham o frio e a escuridão da noite, e ele continuava desfiando frases, absorto em seguir o rastro tortuoso e caviloso de seu pensamento, convencido de que os ouvintes caminhassem atrás dele pelas sinuosidades pedregosas e intransitáveis por onde ele se embrenhara. As pessoas esperavam em vão as palavras retumbantes que estavam acostumadas a ouvir e a aplaudir. No entanto, aplaudiam do mesmo jeito, talvez por simpatia e confiança incontestada, ou talvez porque finalmente se calasse.

Até meu pai fizera certa vez um comício, naqueles anos. Tinham-lhe pedido que pusesse seu nome na lista dos candidatos à Frente Popular: a Frente Popular era a denominação na qual os comunistas e os socialistas se apresentavam juntos. Ele aceitara. Disseram-lhe que devia fazer pelo menos um comício, um só. Deixaram-no à vontade para dizer o que quisesse. Levaram-no a um teatro, fizeram-no subir ao palco: e meu pai começou seu comício com as seguintes palavras:

— A ciência é a busca da verdade.

Só falou da ciência, por uns vinte minutos: e as pessoas silenciavam, estarrecidas. Disse, a certa altura, que as pesquisas científicas estavam mais adiantadas na América do que na Rússia. As pessoas, cada vez mais desorientadas, silenciavam. Porém, de repente, mencionou incidentalmente Mussolini, que ele costumava chamar, disse, o burro de Predappio. Estourou então um fragoroso aplauso: e meu pai olhou à sua volta surpreso, desorientado por sua vez. E foi esse o comício de meu pai.

Balbo, que estivera presente nesse comício, ria só de lembrar. Gostava muito de meu pai: e dos dois anos de medicina que fizera, só se lembrava dele. No início do ano letivo, à entrada do instituto, havia algazarras e confusões com as matrículas, e meu pai, contava Balbo, arremessava-se cabisbaixo no meio daquela peleja, como um búfalo que se arremessa contra o rebanho, para abrir caminho no meio da multidão e passar.

Meu pai, eu me lembrava, corria cabisbaixo desse jeito, como um búfalo, durante a guerra, quando era surpreendido pelos bombardeios na rua. Meu pai não descia para os abrigos e, quando a sirene de alarme tocava, punha-se a correr, não para o abrigo, mas em direção de sua casa. Corria rente aos muros, cabisbaixo, no ronco dos aviões e no sibilo, feliz no perigo, porque o perigo era coisa que adorava.

— Parvoíces! — dizia mais tarde. — Imagine se vou para o abrigo! Estou pouco me lixando para a morte!

Quando eu disse à minha mãe que deixaria Turim e iria morar em Roma, ela teve um grande desgosto: — Vai me tirar as crianças! — disse. — Mas olhe que cachorra que você é!

— Vai deixá-las sair à rua esfarrapadas — comentava com Miranda. — Vai deixá-las sair sem botões! Com a bunda de fora!

Lembrava-se de quando vinha me visitar no confinamento, e lá na cozinha eu tinha um cestinho com toda a roupa para consertar, e não as consertava nunca. Punha-me a costurar uma hora, e depois parava e dizia:

— Não posso mais costurar. Perdi a agulha.

Já fazia muitos anos que não tinha uma casa para mim, nem um armário com os lençóis, nem um cesto com a roupa para consertar, que depois eu não consertava. Fazia muitos anos que eu vivia com meu pai e com minha mãe, e era minha mãe quem pensava em tudo.

No verão, eram eles, meu pai e minha mãe, que pensavam em levar as crianças à montanha e, habitualmente, levavam-nas a Perlotoa, onde alugavam a casa de sempre, com aquele prado na frente. Eu ficava sozinha na cidade; só deixava a cidade por uns poucos dias, no período em que a editora fechava.

— Vamos caminhar! — dizia meu pai na montanha, de manhã cedinho, vestindo seu velho casaco cor de ferrugem, com as meias compridas, os sapatos com pregos. — Vamos, força, vamos caminhar! Chega de preguiça! Não quero que fiquem sempre na planície!

Voltavam em setembro, e minha mãe chamava a Tersilla para fazer calças e aventais escolares, pijamas e casacos.

— Quero vê-los arrumadinhos! Gosto de que as crianças andem bem-arrumadas! Que tenham sua roupinha em ordem! Só de pensar que estão bem agasalhadas, eu me sinto toda satisfeita.

À noite, minha mãe lia o *Sem família* para as crianças. — Como o *Sem família* é bonito! — dizia sempre. — É um dos livros mais bonitos que existem!

— Os livros da marquesa Colombi também eram muito bonitos — dizia. — É pena que tenham se esgotado. Você deveria dizer ao seu editor — dizia-me — para reeditar os livros da marquesa Colombi. Eram muito bonitos!

Eu dera o *Incompreendido* de presente às crianças. Quando era pequena, lera-o para mim a Paola, que nessa época adorava as histórias muito tristes, comoventes, que faziam chorar, que acabavam mal. Minha mãe não gostava do *Incompreendido*. Achava que era muito triste. — O *Sem família* é mais bonito! — dizia. — Não tem comparação. *Incompreendido* é piegas demais. Não gosto muito. O *Sem família*, ao contrário! Capi! O senhor Vitali! Os belos cueiros mentiram! Honra o pai e a mãe! Os belos cueiros disseram a verdade! — E continuava a enumerar os personagens de *Sem família*, e os títulos dos capítulos, que sabia de cor, tendo lido esse livro muitas vezes para seus filhos e lendo-o agora para os meus, um capítulo por noite, sempre se deixando encantar pelas peripécias, que de vez em quando tomavam rumos dramáticos, mas que não acabavam mal; e deixando-se encantar pelo cachorro Capi, pelo qual ela, que adorava cachorros, nutria uma grande simpatia. — Eu é que gostaria de ter um cachorro assim! Mas o papai, imagine se ia me deixar ter um cachorro!

— Gostaria também de ter um belo leão! Gosto tanto dos leões! De todos os animais ferozes! — dizia e, logo que podia, ia correndo ao circo, com a desculpa de levar as crianças. — Sinto que em Turim não tenha jardim zoológico. Iria lá todos os dias. Morro de vontade de ver a cara de um belo animal feroz!

— *Incompreendido* não, não é tão bonito — dizia. — A Paola gostava dele quando menina, porque ela e o Mario tinham a mania das coisas tristes. Mas agora, sorte dela que perdeu essa mania!

— Aqueles dois, o Mario e a Paola, quando crianças estavam combinados — dizia meu pai. — Lembra quando ficavam sempre cochichando com o finado Terni? Tinham a mania de Proust, não falavam de outra coisa. Agora, a Paola e o Mario tratam-se com muita frieza, nem se olham na cara. Ele acha que ela é uma burguesa. Que burros!

— Quando sai a sua tradução de Proust? — dizia-me minha mãe. — Faz muito tempo que não releio Proust. Mas me lembro dele, é lindíssimo! Lembro de Madame Verdurin! Odette! Swann! Madame Verdurin devia ser meio parecida com a Drusilla!

Quando me casei de novo e, um pouco mais tarde, fui morar em Roma, minha mãe, durante um tempo, ficou então magoada comigo. Mas a mágoa nunca fincava raízes muito amargas e profundas em seu espírito. Eu ia e vinha, entre Roma e Turim. Preparava-me para deixar Turim para sempre.

Dizia adeus, no meu coração, à editora, à cidade. Propunha-me a trabalhar ainda na editora, na sede romana; mas achava que seria muito diferente. O que eu gostava era da editora que ficava no Corso Re Umberto, a poucos metros do café Platti, a poucos metros da casa onde os Balbo moravam, quando ainda viviam em Turim; e a poucos metros daquele hotel sob as arcadas, onde Pavese morrera.

Na editora, eu gostava de meus companheiros de trabalho: daqueles, e não de outros. Achava que não saberia trabalhar no meio de gente diferente. De fato, quando depois fui para Roma, acabei saindo da editora, sendo incapaz de trabalhar sem o editor e os meus antigos companheiros.

Gabriele, meu marido, escrevia-me de Roma, pedindo que fosse depressa para lá, com as crianças. Tornara-se amigo dos Balbo e ia visitá-los, à noite, quando estava sozinho.

— Mas em Roma você vai ter que aprender a pespontar! — disse minha mãe. — Ou então vai ter que arranjar uma mulher que seja boa para pespontar! Arranje uma costureira que venha a casa, assim como a Tersilla. Peça à Lola, a Lola deve ter uma costureira diarista! Ou então peça a Adele Rasetti. Vá visitar a Adele Rasetti, que é tão simpática! Gosto tanto da Adele!

— Anote o endereço da Adele Rasetti — disse meu pai. — Eu mesmo vou escrevê-lo para você! Não perca! Vou escrever também o endereço do meu primo, o filho do finado Ettore! É um excelente médico! Você pode chamá-lo.

— Trate de ir visitar logo a Adele! — disse meu pai. — Ai de você se não for lá! Não quero que se faça de burra com a Adele! Vocês todos são burros. Tirando o Gino, vocês todos são burros com as pessoas, se são! Mario é um burro. Deve ter sido burríssimo com a Frances, quando foi visitá-los em Paris! Não deve ter dado muita corda para ela. Ela me deu a entender que a casa era uma desordem, como sempre!

— Pensar que antigamente Mario era tão ordeiro! — disse minha mãe. — Era tão meticuloso, chato. Era como o Silvio!

— Mas agora — disse meu pai — ele mudou. A Frances me deu a entender que havia desordem. Vocês são muito desordeiros!

— Eu não. Eu sou ordeira — disse minha mãe. — Olhe os meus armários.

— Que nada! Você é uma grande bagunceira! Você não achava a minha roupa de inverno!

— Claro que achava! Eu sabia muitíssimo bem onde estava! Mas é que tinha tirado para dar de presente, porque está velha, você não pode mais usá-la, Beppino!

— Imagine você se vou jogar fora! Nem penso nisso! Vou morrer mesmo, imagine se vou mandar fazer uma roupa nova!

— Você mandou fazer quando foi para Liège! Usou durante a guerra toda! Já faz quase dez anos que você usa essa roupa!

— E daí que eu tenha usado? É uma roupa muito boa ainda! Eu não jogo dinheiro fora como vocês! Vocês são todos megalômanos!

— Até minha finada mãezinha — disse — vivia insistindo para que eu mandasse fazer roupas. Não queria que eu fizesse má figura quando ia a Vandea! O finado Ettorino, meu primo, era muito elegante, e ela não queria que eu destoasse do Ettorino!

— Na casa da Vandea — disse — davam-se almoços de cinquenta, sessenta talheres. Havia todo um cortejo de carruagens. Bepo carregador servia à mesa. Uma vez caiu da escada e quebrou uma pilha enorme de pratos! Meu irmão, o finado Cesare, quando se pesava depois desses almoços, tinha engordado cinco ou seis quilos!

— O finado Cesare, meu irmão, era muito gordo. Comia demais. Não queria que Alberto, que come tanto, acabasse ficando gordo como o finado Cesare!

— Todos comiam demais. Comia-se que era um exagero naquela época. Lembro da vó Dolcetta, como comia!

— Minha finada mãezinha, ao contrário, comia pouco. Era magra. Pobrezinha, era muito bonita minha mãe, quando moça. Tinha uma cabeça muito bonita. Todos diziam que tinha uma cabeça muito bonita. Ela também dava almoços de cinquenta, sessenta talheres. Tinha sorvete quente, sorvete frio. Comia-se muito bem!

— Minha prima Regina aparecia elegantíssima nesses almoços. Era bonita, ah, era muito bonita a Regina!

— Era nada, Beppino — disse minha mãe —, era uma beleza artificial!

— Ah, não se iluda, era muito bonita! Gostava muito dela. O finado Cesare também gostava muito. Porém, quando moça, era um pouco leviana. Era muito leviana! Até minha mãe vivia dizendo que Regina era muito leviana!

— Às vezes, meu tio, o Demente, também ia a esses almoços de sua mãe — disse minha mãe.

— Às vezes. Ih, mas não sempre. O Demente era meio convencido, achava que era um ambiente demasiadamente burguês, reacionário. Era meio convencido, seu tio.

— Era tão simpático! — disse minha mãe. — Como o Demente era simpático, como era espirituoso! Era como o Silvio! O Silvio puxou a ele!

— Ilustre senhor Lipmann — disse minha mãe —, lembra como dizia? E também vivia dizendo "Benditos os órfãos!". Dizia que muitos loucos eram loucos por culpa dos pais. Benditos os órfãos, dizia sempre. No fundo, tinha compreendido a psicanálise, que ainda não tinha sido inventada!

— Ilustre senhor Lipmann — disse minha mãe. — Parece que ainda estou ouvindo ele falar!

— Minha finada mãezinha tinha carruagem — disse meu pai. — Todos os dias dava seu passeio de carruagem.

— Levava sempre Gino e Mario na carruagem — disse minha mãe. — E eles logo começavam a vomitar, porque ficavam enjoados com o cheiro do couro, e sujavam toda a carruagem, e ela ficava brava!

— Pobrezinha! — disse meu pai. — Sentiu tanto quando precisou desfazer-se da carruagem!

— Pobrezinha — disse meu pai —, quando voltei de Spitzberg, onde tinha estado no crânio da baleia procurando os gânglios cerebroespinhais, trazia comigo num saco as minhas roupas sujas de sangue de baleia, e ela tinha nojo de mexer nelas. Levei-as para o sótão, e fediam terrivelmente!

— Nem cheguei a encontrar os gânglios cerebroespinhais — disse meu pai. — Minha mãe dizia: "Foi sujar roupas boas para nada!".

— Talvez você não tenha procurado bem, Beppino! — disse minha mãe. — Talvez devesse procurar novamente!

— Que nada! Você é parva mesmo! Não era uma coisa tão simples assim! Você está sempre pronta a me espezinhar. Olha só que burra que você é!

— Eu, quando estava no meu colégio — disse minha mãe —, também tinha que estudar as baleias. A história natural era bem ensinada, eu gostava muito. Porém, no meu colégio, tínhamos que assistir a missas demais. Precisávamos confessar sempre. Às vezes não sabíamos que pecado confessar, e então dizíamos: "Roubei a neve!".

— "Roubei a neve!" Ah, como era bom o meu colégio! Como me diverti lá!

— Todos os domingos — disse — ia à casa do Barbison. As irmãs do Barbison eram chamadas de Beatas, porque eram muito carolas. O nome verdadeiro do Barbison era Perego. Seus amigos tinham feito para ele o seguinte poema:

Bom é ver de noite e na matina
Do Perego a casa e a cantina.

— Ah, não vamos começar agora com o Barbison! — disse meu pai. — Já ouvi essa história mais de mil vezes!

Notas de apoio

AMBROSINI, Gaspare [1886-1985] Magistrado, deputado constitucionalista ligado ao Partido Democrata Cristão.

BADOGLIO, Pietro [1871-1956] Representante do regime fascista, governador-geral da Líbia e vice-rei da África Oriental italiana. Ocupou a chefia do Estado-Maior (1939-40), e, logo após a queda de Mussolini (1943), foi primeiro-ministro, conduzindo as negociações do cessar-fogo com os Aliados. Demitiu-se em 1944, após a libertação de Roma pela Resistência italiana.

BAUER, Riccardo [1896-1972] Historiador e ativista antifascista.

BERGAMASCHI, Leonida Bissolati [1857-1920] Advogado e político, foi um dos fundadores do Partido Socialista Reformista e um dos mais importantes expoentes do movimento socialista italiano.

BORINGHIERI, Paolo [1921-2006] Editor da Boringhieri, editora de livros científicos que fundou em Turim em 1957.

CAFI, Andrea [1887-1955] Militante socialista e membro do movimento Justiça e Liberdade, participou da Resistência francesa.

CHIAROMONTE, Nicola [1905-1972] Político, filósofo e intelectual, ligado ao movimento Justiça e Liberdade, participou da Guerra Civil Espanhola.

CORRIERE DEI PICCOLI Suplemento infantil do *Corriere della Sera*, publicado em forma de revista em quadrinhos (1908-95).

COSTA, Andrea [1851-1910] Político, um dos fundadores do Partido Socialista Italiano.

CULTURA, La Revista de cunho filosófico, fundada em Roma (1882) e fechada pelo fascismo (1936). Voltou a circular em 1963.

DI MEANA, Aldo Garosci [1907-2000] Jornalista e historiador. Foi um dos organizadores dos primeiros grupos do movimento Justiça e Liberdade.

DREYFUS, Alfred [1859-1935] Oficial francês, de origem judaica. Acusado injustamente de espionagem, processado e condenado, foi reabilitado tempos depois.

EINAUDI, Giulio [1912-1999] Diretor da editora Einaudi, em Turim.

FERRERO, Guglielmo [1871-1942] Historiador, escritor e ativista antifascista italiano.

FOA, Vittorio [1910-2008] Jornalista e ativista antifascista italiano, ligado ao movimento Justiça e Liberdade. Foi eleito senador em 1987.

FORMAS DIALETAIS

Milanesa, [p. 30] *Bella, bella, bella. Troppo lunga de col.* "Linda, linda, linda. De pescoço longo demais"; *L'è, le, l'è le, l'è la sorella della mia cagna.* "El'é, el'é, el'é a irmã da minha cadela!"; [p. 31] *Quello lo mangeremo mi e ti doman matina.* "Isso a gente comerá amanhã cedo"; *Ti te vedet quel pan lì? L'è tutta barite.* "Tá vendo esse pão aí? É só barita"; *Lidia, mi e ti che sem la chimica, de cosa spussa l'acido solfidrico? El spussa de pet. L'acido solfidrico el spussa de pet.* "Lidia, eu e você, que sabemos química, do que é que o ácido sulfídrico tem cheiro? Ele tem cheiro de peido. O ácido sulfídrico cheira a peido"; [p. 32] *Bon che non avevate risi, perché sennò chissà che lunghi ch'el diventava.* "Ainda bem que não era arroz, porque, do contrário, sabe-se lá se não iria ficar cozido demais"; [p. 33] *Dis no che son i dent...* "Não diga que é por causa dos dentes..."; *Tuti i dí ghe ghe n'è una, tuti i dí ghe ghe n'è una, la Drusilla ancuei l'a rompú gli ociai*. "Todo santo dia acontece uma, todo santo dia acontece uma, a Drusilla também quebrou os óculos."

Triestina, [p. 33] *E cossa g'avevate a pranzo, risi o pasta?* "E o que tinham para o almoço, arroz ou massa?"; [p. 35] *Il xè fresco*. "É que é fresco."; *Cossa gà oggi la nostra Rosina, che no la xè suo solito umor?* "O que é que está acontecendo com a nossa Rosina hoje, que perdeu seu humor de sempre?"

FRENTE POPULAR (Fronte Popolare) Aliança entre o Partido Socialista e o Partido Comunista Italiano, firmada em 1948, como continuação do movimento de Resistência, que pretendia expurgar da República os resquícios do fascismo.

GAROSCI, Aldo [1907-2000] Historiador e político antifascista.

GIUA, Michele [1889-1966] Professor, preso político, colaborou no movimento Justiça e Liberdade. No pós-guerra, foi senador socialista.

GIUA, Renzo [1914-1938] Combatente contra as tropas do general Franco.

GRAMSCI, Antonio [1891-1937] Intelectual e político, foi um dos fundadores do Partido Comunista Italiano.

IRREDENTISTA Patriota italiano que, do final do século XIX ao início do século XX, se empenhou em obter a incorporação à Itália de territórios sob domínio estrangeiro. A "Italia Irredenta" ("Itália não resgatada") compreendia as localidades de Trentino, Gorízia, Ístria, Trieste, Ticino, Nice, Córsega e Malta, regiões ligadas à Itália e aos italianos pela língua e pelos costumes.

JOURNAL DE GÉNÈVE Diário suíço de tendência liberal, publicado desde 1826.

JUSTIÇA E LIBERDADE (Giustizia e Libertà) Movimento político antifascista fundado em Paris, em 1929, por exilados italianos e liderado por Carlo Rosselli. Reunindo republicanos, democratas e socialistas, o movimento objetivava derrubar o fascismo na Itália e instaurar um modelo de democracia baseado na República, na liberdade e na justiça social. Células do movimento atuaram em várias capitais e cidades italianas durante a ditadura de Mussolini.

KULICHOV, Anna [1853-1925] Revolucionária de origem russa, feminista, atuou na Itália e foi companheira de Filippo Turati. Teve enorme influência no socialismo italiano.

LE GRANDI FIRME (Grandes Nomes) Revista semanal de variedades, fundada por Pitigrilli, em 1924. Foi fechada em 1938 pelo regime fascista, durante a campanha racial.

LUSSU, Emilio [1890-1975] Político, escritor e militar. Atuou no movimento Justiça e Liberdade.

MAQUIS Movimento de resistência e libertação nacional francês durante a Segunda Guerra Mundial.

NENNI, Pietro [1891-1980] Jornalista e político antifascista, membro do Partido Socialista Italiano.

NOUVELLE REVUE FRANÇAISE Revista fundada em 1909 por André Gide e publicada pela editora Gallimard, Paris.

PAJETTA, Giancarlo [1915-1988] Político italiano e membro do Partido Comunista. Foi um dos mais destacados comandantes das Brigadas Garibaldi que combateram na Guerra Civil Espanhola. Deputado na Assembleia Constituinte da República Italiana e senador em todas as legislaturas até 1972.

PARRI, Ferruccio [1890-1980] Professor, jornalista e político. Ocupou o cargo de presidente do Conselho de Ministros em 1945.

PARTIDO DE AÇÃO (Partito d'Azione) Criado em 1942, era uma organização republicana, de tendência socialista moderada, que teve suas raízes no movimento Justiça e Liberdade, sendo dissolvido em 1947.

PARTIGIANO Combatente armado que não pertence a um exército regular, mas a um movimento de Resistência.

PESTELLI, Gino [1885-1965] Jornalista antifascista, redator-chefe do La Stampa durante a década de 1920.

RARI NANTES Denominação tradicional de várias equipes italianas de natação ou polo aquático. O nome vem do verso "Rari nantes in gurgite vasto" (Virgílio, Eneida, 1, 118), que pode ser traduzido como "raros náufragos no mar imenso".

RESISTÊNCIA ITALIANA Movimento surgido durante a Segunda Guerra

Mundial, depois do armistício de 1943 e da invasão da Itália pela Alemanha nazista. Formado por indivíduos e agrupamentos de múltiplas tendências políticas, fazia oposição, inclusive militar, aos alemães e à República Social Italiana, instituída por Mussolini, em Salò. Deu origem à formação dos primeiros governos no pós-guerra.

ROSSELLI, Carlo [1899-1937] Político socialista, jornalista e historiador.

ROSSI, Ernesto [1897-1967] Jornalista, ativista político antifascista.

SALVATORELLI, Luigi [1886-1974] Historiador e jornalista antifascista. Durante vários anos foi diretor do jornal *La Stampa* de Turim.

SARAGAT, Giuseppe [1898-1988] Político antifascista ligado ao Partido Socialista Unitário e presidente da República (1964-1971).

SARFATTI, Margherita [1880-1961] Prima de Giuseppe Levi, membro do Partido Socialista antes da ascensão do fascismo, era crítica de arte e promoveu saraus com a presença de Marinetti e de outros futuristas. Foi amante de Mussolini, tornando-se uma das principais teóricas e divulgadoras do fascismo. Escreveu uma biografia do líder fascista (*Dux*, 1926).

SEGRE, Sion [1910-2003] Ativista antifascista, sobrinho do escritor Pitigrilli.

STAMPA, LA Jornal de Turim, fundado em 1867.

TANZI, Eugenio [1856-1934] Psiquiatra e professor de psiquiatria nas universidades de Cagliari e Florença.

TOGLIATTI, Palmiro [1893-1964] Político, membro do Partido Socialista Italiano e, posteriormente, membro fundador e secretário-geral do Partido Comunista Italiano.

TRIBUNAL ESPECIAL (Tribunale Speciale) Jurisdição especial do regime fascista, criada em 1926, para julgar crimes contra a segurança do Estado e do regime. Foi dissolvido em 1943.

TURATI, Filippo [1857-1932] Advogado, político e jornalista, foi um dos fundadores do Partido Socialista Italiano.

VERATTI, Roberto (1902-1943) Participante da Resistência italiana e membro fundador do Partido Socialista de Unidade Proletária.

VINCIGUERRA, Mario [1887-1972] Ativista antifascista, político e jornalista.

Posfácio
O bordado da memória

Ettore Finazzi-Agrò

Esta é a história de uma família de bem, dentro de uma História de tempos sombrios, encharcados pelo autoritarismo e pela repressão, e pelos horrores da Segunda Guerra Mundial. É uma história particular feita de "pequeninos nadas", para usarmos a expressão de Manuel Bandeira, inserida num contexto histórico e político marcado por gestos insensatos e destinado a desembocar em eventos trágicos — que vão envolver fatalmente os membros daquela família, levando, com ela, ao fim, uma época, uma civilização, toda uma cultura. O leitor entenderá de imediato o contraste entre esses dois mundos, ou melhor, a incongruência de um microcosmo pacífico, comezinho e quase monótono, onde são valorizados os hábitos e o respeito à tradição, colocado no interior de um macrocosmo, no qual predominam, pelo contrário, a arrogância, o fanatismo e a ostentação muscular do fascismo.

São duas esferas, a privada e a pública, que aparentam não ter nenhuma relação entre si, embora a História invada e, muitas vezes, abafe o desejo de normalidade, a vontade de "próprio" que é tão típica da antiga e "boa" burguesia italiana. E se o "romance" se abre com as férias e as excursões nas montanhas, com a figura da avó paterna e a lembrança dos avós maternos, delineando uma espécie de espaço-tempo suspenso e à parte (nos encontramos, de fato, pouco antes da tomada do poder por Mussolini), eis que, no decorrer de poucas linhas, a dimensão histórica e política atravessa o limiar da casa e a impregna de "brigas ferozes" entre o pai e os irmãos, a faz ressoar de gritos e de "portas batidas" — embora a razão de tais vozes e dessas disputas soe inexplicável para a narradora, "visto que, como acho, eram todos contra o fascismo".

Está aqui, de fato, nesse detalhe o prenúncio do desenlace trágico em que a História esmaga e emudece esta "outra" e particular história, abraçada ao seu léxico peculiar e aos seus antigos costumes. Porque, na verdade, a família Levi tinha pelo menos duas culpas, duas manchas aos olhos do poder fascista: era judia e socialista. Mas, enquanto o judaísmo parece ficar apenas como um pano de fundo, tratado como um elemento quase genético ou cultural (o que não é, na verdade), interferindo pouco no decorrer dos eventos,* a fé socialista entra logo em cena, com aquela alusão aos laços que ligam os membros da família a figuras eminentes do socialismo italiano: Leonida Bissolati Bergamaschi, Anna Kulichov e, sobretudo, aquele que foi companheiro de vida e de luta dela, Filippo Turati. Deste último, os Levi eram não apenas conhecidos mas amigos, a ponto de escondê-lo na própria casa, quando ele, perseguido pela polícia fascista, passou por Turim em 1926, a caminho da França e do exílio, onde iria morrer em 1932.

Na relação entre os considerados "pais nobres" do socialis-

* É bom lembrar que as "leis raciais", assim denominadas, discriminando de forma férrea a componente judaica da população italiana, foram introduzidas nos finais dos anos 1930: até então o comportamento do governo fascista foi de conivência com as ideias e as atitudes do nacional-socialismo alemão, mas sem o respaldo de um aparato jurídico legitimando a ação antissemita.

mo e o núcleo familiar formado pelo pai, a mãe e os cinco filhos, entrevemos outra passagem no muro da intimidade doméstica pela qual a História penetra na história. Desta vez, porém, é uma escolha ideológica sustentada por toda a família, opção quase natural ou, mais uma vez, "genética" e não uma invasão: o privado volta a se cruzar com o público, mas, neste caso, os dois polos se sobrepõem e se neutralizam, tornando privado, familiar, o que é aparentemente externo à casa e politizando a existência dos seus moradores. Com efeito, todos os representantes masculinos da família Levi acabam sendo detidos nas prisões fascistas ou conhecem o exílio. E, nas malhas da lembrança pessoal, ficam assim presas muitas figuras históricas do antifascismo turinês, com quem, sobretudo os filhos e as filhas, tecem relações de amizade ou de amor. Paola, irmã da escritora, casa-se com um dos maiores industriais da época, Adriano Olivetti, mecenas, intelectual e filho do fundador da homônima fábrica de máquinas de escrever. E é também o caso da própria Natalia, que se casa com Leone Ginzburg, com quem terá três filhos. Leone, professor universitário de origem russa, um dos mais conhecidos eslavistas italianos, além de político engajado, veio a falecer num cárcere romano, em fevereiro de 1944, vítima da tortura. Embora Natalia volte a se casar, em 1950, com o anglista Gabriele Baldini, manterá para sempre o nome do primeiro marido.

Com Olivetti e Ginzburg, desfilam nas páginas de *Léxico familiar* inúmeros outros intelectuais e protagonistas do antifascismo e, depois, da cena política e cultural do pós-guerra,* tanto assim que a obra poderia ser lida como testemunho imprescindível de uma fase histórica fundamental para o país. De resto, como a própria escritora esclarece:

* Dentre eles, Cesare Pavese (poeta e romancista), Giulio Einaudi (fundador da homônima editora e filho do segundo presidente da República Italiana, depois da queda do fascismo e da monarquia), Luigi Salvatorelli (historiador) e Carlo Levi (escritor e pintor).

Neste livro, lugares, fatos e pessoas são reais. Não inventei nada: e toda vez que, nas pegadas do meu velho costume de romancista, inventava, logo me sentia impelida a destruir tudo o que inventara.

Uma leitura realista, ligada à crônica daqueles anos, deve ser considerada, por paradoxo, ainda acessória ou até enganosa a respeito da narração ("romanceada") daquela outra história, minuta ou mínima, em que se espelha e aos poucos se reconstrói, diante do leitor, uma dimensão privada, feita de afetos discretos, de gestos sem ressonância, de figuras comezinhas — feita, sobretudo, de palavras trocadas, de diálogos esboçados, de modismos ou de expressões peculiares identificando, com precisão, a esfera privada e remetendo a um mundo até agora não tocado pela trágica História de um povo fadado à catástrofe da guerra, da pobreza e do luto.

O "léxico familiar", nesse sentido, se apresenta como o vocabulário policromo do afeto — cujas cores, se não estivessem fixadas na página, estariam fadadas a esmaecer e a sumir. E ele se oferece à nossa escuta com a voz sussurrada da memória, falando através das vozes quase apagadas de um núcleo parental, ao mesmo tempo excetuado e incluído num léxico, numa sintaxe, numa gramática, oficiais e pomposas, grávidas de uma retórica ocultando o nada e o niilismo de uma sociedade e de um regime político à beira do abismo. Por isso, aliás, acho que a escolha da forma *famigliare*, no título original, em vez da mais culta e comumente usada, *familiare*, remete a uma esfera de sentido, ao mesmo tempo, acessível e particular: a *famiglia* e o seu modo de se expressar se abrem ao entendimento de todos, participam de uma história comum mantendo, entretanto, o seu caráter de lugar secreto e distante, onde as palavras têm uma cifra, um peso, um som — um sabor, enfim, que ninguém fora dele pode realmente saber, que ninguém mais poderá saborear e apreciar de forma integral.

Nesta obra a lembrança se desenrola seguindo os fios da linguagem, contendo na fala termos e acentos que, sendo de todos, são no entanto particulares, identificam uma dimensão e a circunscrevem: é esta, talvez, a causa do grande fascínio promanado, ainda hoje, de *Léxico familiar*, ou seja, a capacidade de reconstruir um mundo perdido sobretudo graças à memória das palavras que nele habitavam e que ninguém fora dele poderia entender plenamente senão tendo à mão esta gramática sentimental, cuja linguagem é própria, pois comum, e se torna comum a partir do "dialeto" compartilhado entre os membros de uma família.

E o texto se torna, assim, uma partitura, sinfonia de vozes e notas, de frases repetidas e de versos esmigalhados, reduzidos à pura alusão fônica. Lembremos apenas daquela ladainha parecendo insensata, composta pela mãe na juventude e que, atravessando o livro, se constitui numa espécie de marca de reconhecimento, de cartão de identidade para os membros da família: "*Eu sou dom Carlos Tadri,/ Sou estudante em Madri!*". Qual é o significado desses versos cantados em voz alta, abrindo o que é pomposamente definido como ópera? Nenhum; mas exatamente por isso, pelo fato de serem significantes vazios, as palavras cantadas se expõem e ganham um significado peculiar e incompreensível fora dos confins da casa, fazendo da família Levi, como observa Cesare Garboli,* um clã com mitos e ritos próprios, com seus usos e costumes, além de uma visão do mundo e da realidade que

---

* Cesare Garboli, "Prefazione", *in* Natalia Ginzburg, *Opere*. Milão: Mondadori, 1986, v. I, p. XXXIV: "[*Léxico familiar*] se funda sobre uma ideia de pertença; é um elogio da pertença (à família, à tribo, à comunidade, ao antifascismo), elogio da coesão familiar como instrumento de defesa e de sobrevivência da tribo, através da linguagem".

se torna exclusiva e excludente — embora prestes a se abrir para o mundo real e a ser por ele rasurada, tal como acontece com as culturas tribais ou primitivas diante do avanço esmagador de outras civilizações, de uma modernidade feroz e incapaz de entender o que se esconde nas vísceras da memória alheia, por trás de uma linguagem não entendida e aparentemente sem sentido.

Poderia ser assumida, nessa perspectiva, uma interpretação de qualquer modo "antropológica" de *Léxico familiar*, a partir, é claro, desse elemento clânico unindo os membros da família, seus amigos e conhecidos: o desaparecimento desse universo de relações linguísticas, parentais ou amistosas, seria, então, apenas o resultado do embate com uma civilização diferente e poderosa, portadora, todavia, de uma barbárie infinita. De fato, como se sabe, a palavra *bárbaro* indicava alguém que não sabia falar a língua grega, que gaguejava um vocabulário incompreensível: de modo análogo e, ao mesmo tempo, inverso, poderíamos interpretar a crônica da desarticulação progressiva e da repressão contra os membros da família Levi como a intervenção dos "novos bárbaros", decretando o fim de uma civilização feita de gestos não entendidos, de palavras apenas acenadas. Um léxico que tinha um significado preciso para aqueles que participavam da mesma linguagem, mas que, aos ouvidos "estrangeiros" da cultura dominante, soava como um barulho inaceitável, como uma algaravia. Sendo portadora de um ruído de fundo insuportável, de uma *noise* — na expressão de Michel Serres* —, a família é vista, afinal, como "turba" ou "turbilhão": portadora, desta forma, de uma linguagem própria e inconsequente "perturbando" a ordem constituída e destinada, portanto, a ser silenciada.

Assim, de uma visão antropológica se transita com facilidade para uma consideração sociológica e política do caráter,

---

* Cf. Michel Serres, *Genèse*. Paris: Grasset, 1982, pp. 100-14.

no fundo, escandaloso jogado pela normalidade em tempos de "exceção": os portadores dos valores tradicionais e burgueses — embora de uma burguesia iluminada e progressista — são vistos como perigo para a comunidade e relegados, pelo poder, a uma situação de isolamento. Não por acaso, alguns críticos apontaram um parentesco entre *O leopardo* (1958), de Tomasi di Lampedusa, e *Léxico familiar* (1963), publicados num espaço de cinco anos, e vencedores, na época, do mais importante prêmio literário italiano, o Strega*. Na verdade, são textos sui generis, escritos de forma totalmente diferente: o primeiro, por adição e a partir duma ótica elevada — afinal, o protagonista é um príncipe siciliano; o segundo, por subtração e a partir de uma ótica diminuta — afinal a narradora é a caçula de uma família burguesa, sem muitos recursos; e ainda pertencendo a gêneros romanescos diversos (*O leopardo* é um romance histórico, e *Léxico*, uma autobiografia). É interessante observar que ambos contribuem, na passagem entre os anos 1950-60, à construção de uma literatura que, relendo o passado nacional, remoto ou próximo, o interpreta desde um ponto de vista que eu chamaria de "apocalíptico", colocando-se num espaço intervalar e transitório, suspenso no interior de um tempo único, de uma época que, no fundo, se cristaliza em *epokhé*. Tanto Lampedusa como Natalia, cada um com sua especificidade biográfica e no estilo que lhes é próprio, apresentam histórias marcadas pelo declínio, pela saudade e pelo abandono dos velhos hábitos: a situação que nos mostram são casas prestes a desabar, muros manifestando pequenas ou grandes fendas — pressentimentos, enfim, de uma ruína próxima levando consigo visões do mundo irrecuperáveis. Seria possível até dizer

---

* Cf. Elena Clementelli. *Invito alla lettura di Natalia Ginzburg*. Milão: Mursia, 1972, pp. 78-83.

que tanto *O leopardo* quanto *Léxico familiar* participam de um momento histórico decisivo e dão o testemunho fundamental: aquele que sai do regime fascista para entrar numa democracia em que a mudança é mera aparência já que "é preciso que tudo mude para que tudo fique igual", como se lê no romance de Lampedusa.

Nesse tempo, marcado pela coexistência das ideias de "progresso" e de "catástrofe",* aquilo que resta é apenas a memória familiar, a reconstrução de uma identidade comum "pavorosamente perdida", parafraseando uma expressão de Fernando Pessoa. A publicação de *Léxico familiar* representaria, em tal perspectiva — colocando-se no interior de uma situação histórica de mudança radical do país (os anos 1960 com seu processo de industrialização selvagem e de abandono da cultura rural) e na véspera daquela outra "revolução" que se dará a partir de 68 —, a tentativa de resgatar, na memória, uma dimensão intempestiva e marginalizada: a dimensão doméstica, justamente, colocada na suspensão e na sobreposição de privado e público, de tradição e inovação, de liberdade e sujeição. E tudo isso sem nenhum véu de tristeza ou de ressentimento, mas apenas com uma vontade de recomposição minuciosa, não diria tanto de uma época histórica, quanto de um clima, de uma trama de afetos, de uma dimensão particular e, ao mesmo tempo, pública.

A recuperação desse tempo no fundo mítico se dá, aliás, de forma eminentemente "econômica", seja do ponto de vista da prática artística ou escritural, seja, de modo mais geral e complexo, no plano do que eu chamaria de "ideologia textual". Muitos críticos notaram o emprego daquele que se poderia chamar de *sermo humilis*, isto é, um registro e uma língua cotidianos por

---

* Pode-se consultar, sobre essa relação, o importante estudo de Salvatore Natoli, *Progresso e catastrofe. Dinamiche della modernità*. Milão: Marinotti, 1999.

parte de Natalia Ginzburg: descrevendo fatos e pessoas que desempenharam um papel fundamental na luta contra o fascismo, ela continua mantendo uma atitude quase infantil, reportando-se à ótica sincrônica de uma menina olhando para os graúdos (grandes fatos, grandes pessoas). Basta consultar, nesse sentido, a descrição de Filippo Turati:

> Durante a noite, ouvi tossirem no quarto ao lado do meu. Era o quarto de Mario quando vinha aos sábados; mas não podia ser Mario, não era sábado; e parecia uma tosse de homem velho, gordo.
> Minha mãe, entrando no meu quarto de manhã, disse-me que lá tinha dormido um certo senhor Paolo Ferrari; e que estava cansado, velho, doente, tinha tosse, e não se devia fazer-lhe muitas perguntas.
> O tal senhor Paolo Ferrari estava na sala de jantar, tomando chá. Ao vê-lo, reconheci Turati, que uma vez viera à Via Pastrengo. Mas, como me disseram que se chamava Paolo Ferrari, acreditei, por obediência, que fosse Turati e Ferrari ao mesmo tempo; e novamente verdade e mentira misturaram-se em mim.
> Ferrari era velho, grande como um urso, e com a barba grisalha, arredondada. Tinha o colarinho da camisa muito largo, e a gravata amarrada como uma corda. Tinha mãos pequenas e brancas; e folheava uma coletânea de poemas de Carducci, numa encadernação vermelha.

Assim, a figura de um dos fundadores do socialismo italiano sai da página como era e, ao mesmo tempo, como o via uma menina com dez anos de idade (a idade exata de Natalia na altura em que Turati se escondeu na casa dela em Turim). E esse cruzamento constante de crônica dos fatos e de lembrança deles é talvez o registro mais característico da obra, como se a autora conseguisse se desdobrar em testemunha confiável e, ao mesmo tempo, em manipuladora do acontecido (fato sinalizado, aliás, pela frase: "e novamente verdade e mentira misturaram-se em mim").

De resto, esta é, com certeza, a característica da grande literatura memorialista: a capacidade não só de evocar um passado, mas de revivê-lo com a força e a evidência de um presente não acabado, de um momento que se concretiza, através da escrita, na sua atual ausência de atualidade. Podemos pensar tão só na afirmação que acabamos de ler, "acreditei por obediência": ela nos abre cenários em que entram não só hábitos ligados ao obséquio da autoridade, típica da família patriarcal, mas também remete a um mundo burguês onde a mulher era "naturalmente" subalterna ao homem. Cesare Garboli, na introdução à edição das obras completas de Natalia Ginzburg, usa palavras incomparáveis para ilustrar essa atitude feminina de olhar o mundo por parte da escritora:

> Ginzburg parte de uma chantagem; tem uma arma e a guarda no avental; o seu ponto de vista é feminino, obscuro, visceral, primitivo, diverso, uterino, desconhecido ao homem; mas a Ginzburg fala em nome dos dois sexos, em nome da totalidade do homem (a mãe e o filho), não em nome de um continente desconhecido. [...] Os códigos da cultura masculina são quebrados, ao mesmo tempo em que são utilizados; o mundo, nos pensamentos da Ginzburg, é sempre ele mesmo, é sempre o mundo do homem; mas é ele mesmo e o outro, como se um quente vento africano derrubasse os seus edifícios.*

Na verdade, aqui, o crítico está se referindo ao ensaísmo de

---

* C. Garboli, op. cit., pp. XXV-VI.

Natalia Ginzburg, porém tal avaliação funciona também para o conjunto de sua produção literária, mostrando o caráter dual e, a um tempo, unitário da mundividência da autora, aceitando, aparentemente, sua subalternidade sexual, mas para arrombar, do interior dela, todos os mecanismos do poder masculino, todos os tabus e interditos da cultura de onde ela provém. A mesma unidade no dualismo que vimos transparecer na perspectiva pela qual ela descreve a figura de Turati (infantil e adulta) se confirma, portanto, na relação que a escritora estabelece com a diferença sexual: subserviente, sem servilismo, e dominadora, sem arrogância.

De fato, ela — que vai se tornar uma das figuras importantes e, a contragosto, das mais poderosas da cultura literária italiana do pós-guerra, sobretudo pelo fato de ser uma das consultoras com maior influência da editora Einaudi — aparentou sempre se colocar de lado ou de viés a respeito da cultura masculina, escolhendo, em todo caso, habitar à margem ou nos interstícios do discurso intelectual dominante. Embora mantendo o papel humilde da caçula que acreditava "por obediência", Natalia escondia, porém, "no seu avental", a arma da memória de que se utilizou tantas vezes para vingar-se de uma História que lhe arrancou o marido e pôs fim àquela civilização "das boas maneiras", àquele mundo de sentimentos discretos e nunca manifestados de forma trivial de que ela provinha. Com isso não quero dizer que sua escrita seja marcada pelo ressentimento, mas quero sublinhar como, valendo-se de sua posição "menor" e minoritária, a Ginzburg consegue, com paciência e teimosia, refazer (ou *recoser*, para usar um termo ainda típico do tradicional universo feminino) um mundo desaparecido, agasalhando-o, por assim dizer, com a linguagem e os hábitos que lhe eram próprios — e esse gesto de "tecedura", embasado na memória pessoal, já é, de per si, eversivo, derruba uma dimensão autoritária; é, no fundo, uma reação pacata tornando-se ação contundente.

Para manter a imagem doméstica, poderíamos confirmar como *Léxico familiar* é, no final, a proposta de uma aproximação "econômica" à realidade: uma economia que, desta vez, não tem tanto a ver com as escolhas linguísticas e com o registro humilde da escrita, mas com uma prática ligada à salvaguarda do *ôikos*, isto é, o lugar caseiro e privado. Como se sabe, com efeito, a palavra grega *oikonomía* remetia para uma nomía (termo provindo do verbo *némo*, "distribuo de modo equânime") da casa (do *ôikos*, justamente), complementando — e, às vezes, se contrapondo — a "política", que indicava a gestão da *polis*, da cidade. Mais uma vez, então, volta a se propor a relação difícil, o vínculo complexo ligando o lugar privado e o espaço público, a casa e a praça.*

E se, a partir do ocaso ou da queda das ideologias, alguns estudiosos lamentaram, nos últimos anos, o eclipse da política em prol do enclausuramento egoísta dentro de uma privacidade sem horizontes,** fica todavia evidente que, na vigência de regimes autoritários, o "léxico familiar" pode representar uma resposta possível ao autoritarismo da *res publica* — que "pública" não é, legitimando-se apenas através de uma força sem lei, fora do *nómos* democrático e apoiando-se na decisão dos poucos detentores do poder. Na vigência de um "estado de exceção", o excetuar-se dentro de um mundo de valores, de *lógoi* e de *mythoi*, de palavras e de histórias compartilhadas, pode representar um modo de salvar, no banimento e no abandono das convenções públicas, uma convenção privada — uma espécie de normalidade que é, por si mesma, escandalosa e dissidente. Nesse sentido,

---

*Esta oposição (e/ou conjugação) entre privado e público, entre "econômico" e "político", irá ser resumida de forma icástica por Natalia Ginzburg em outro romance: *La città e la casa*. Turim: Einaudi, [1984] 2006.
** Cf., por exemplo, Giorgio Agamben, *Che cos'è un dispositivo*. Roma: Nottetempo, 2006, pp. 32-5.

o vocabulário exclusivo e secreto, o isolamento dentro de uma rede parental ou amigável, acabam por constituir, como na obra de Natalia Ginzburg, uma peça de resistência.

A razão econômica, em suma, contra uma lógica política destruidora, o logos — e. g., a palavra, o léxico particular — contra a lógica do poder; as boas maneiras antigas contra a vulgaridade das maneiras exibidas na praça (basta, para isso, assistir a um dos muitos documentários sobre os comícios de Mussolini, na Piazza Venezia em Roma tomada por uma "turba" fascinada pela voz e pelos gestos do Duce, pelo corpo do ditador, exibido e grotesco, quase "pornográfico", se poderia dizer, na sua relação manifestamente sexual com as massas). Nesse sentido a tradição, o culto do passado, representa um modo discreto — sem ostentação e marcado pelo pudor, típico de certa burguesia — de se contrapor a uma política feita aos berros e passando pela sedução da figura do chefe. Na casa Levi, o *pater familias* é, ao contrário, um homem culto (lembrado, com efeito, nas enciclopédias médicas como um dos maiores anatomopatologistas e biólogos italianos), escondendo, atrás dos seus modos carrancudos e da sua voz tonitruante, uma natureza afetuosa e sempre preocupada com o bem-estar do seu clã.

A linguagem discreta, simples e sem sobressaltos, na forma em que é escrito o livro — também o confinamento e, sobretudo, a prisão e a morte de Leone Ginzburg são contados em poucas linhas, sem ênfase: "Foi detido, vinte dias depois de nossa chegada [a Roma]; e não tornei a vê-lo nunca mais"* —, corresponde,

---

* Logo depois, encontramos esta frase reveladora da atitude discreta (marcada pelo pudor e pela parcimônia dos gestos) da família — e da mãe, em particular — a respeito dos acontecimentos trágicos sacudindo o seu dia a dia: "Encontrei-me com minha mãe em Florença. Sentia sempre, nas desgraças, muito frio; e enrolava-se no seu xale. Não trocamos muitas palavras sobre a morte de Leone. Ela gostava muito dele; mas não gostava de falar dos mortos, e sua preocupação constante era sempre lavar, pentear e manter as crianças bem agasalhadas".

assim, a uma escolha econômica, de atenção ao interior da casa, em claro contraste com uma política que não oferece nenhum amparo ao indivíduo, sendo só preocupada com as massas, com as reuniões teatrais, "monumentais", de milhares de pessoas sob o encanto hipnótico de um pai belicoso. A retórica fascista é, graças também à obra de Natalia Ginzburg, varrida do chão da História — e aquilo que resta é sua voz simples e despojada de qualquer maneirismo, lembrando das vozes familiares, daquela comunidade pequena ou daquele clã social e político que a ditadura, por sua vez, tinha tentado obrigar ao silêncio. E o seu livro pode, nesse sentido, ser avaliado como a vitória apenas verbal e não reivindicada, como a vingança não violenta de uma memória e de uma história "de bem" contra uma História se sustentando de violência e de mal, rumo a um tempo "novo" e feroz, a uma modernidade massificada tentando rasurar qualquer memória particular.

Nas páginas em que se fala do pós-guerra e dos anos 1950, o passado é ainda visto com nostalgia e pesar, mas sempre com aquela leveza, com aquele tom não trágico com que é contada a tragédia de uma nação e de uma família "comum" que, apesar de tudo, continua usando seu léxico peculiar, seu universo de estórias de que, mais uma vez, a guardiã pressurosa é a mãe. A ela, de fato, é confiada a tarefa de concluir aquela espécie de sonata doméstica em que o tema é tantas vezes retomado, de forma sempre cambiante; a ela, a filha deixa as palavras finais e a honra de contar a última pequena história do seu livro — feito sobretudo da memória teimosa de palavras trocadas e de anedotas recontadas infinitamente, feito de mitos minúsculos e de lembranças aparentemente sem peso:

— "Roubei a neve!" Ah, como era bom o meu colégio! Como me diverti lá!
— Todos os domingos — disse — ia à casa do Barbison. As ir-

mãs do Barbison eram chamadas de Beatas, porque eram muito carolas. O nome verdadeiro do Barbison era Perego. Seus amigos tinham feito para ele o seguinte poema:

> Bom é ver de noite e na matina
> Do Perego a casa e a cantina.

— Ah, não vamos começar agora com o Barbison! – disse meu pai. — Já ouvi essa história mais de mil vezes.

Contar e recontar sempre a mesma história, usar e continuar usando sempre a mesma linguagem particular: é esta, afinal, a maneira de resistir a um tempo vertiginoso e trágico, de permanecer num lugar certo e "nosso", nesse espaço desmedido e cheio de ruínas que costumamos chamar de *moderno*.

*

Devia ser por volta de 1965. Era um agosto quente que eu, rapaz de catorze anos, estava passando numa pequena praia no sul da Itália, junto com os meus pais, como era o nosso hábito. Tinha acabado de ler há pouco *Léxico familiar*. A certa altura, eu vi andar pela beira-mar uma figura de mulher de altura média, de cara ossuda e de cabelo curto, vestindo um maiô preto. Reconheci, espantado, Natalia Ginzburg e, junto com ela, estavam os filhos; reconheci o Carlo, que já era um historiador conhecido e que iria se tornar, daí a poucos anos, ainda mais famoso.

Tive o impulso de ir falar com ela, de manifestar toda a minha admiração de adolescente pelo livro que acabara de ler. A timidez e o medo de cometer uma *negrigura* ou de parecer um *sempio* — palavras que eu tirava do seu texto, que roubava ao seu léxico familiar — me impediram de me acercar. Indiquei, todavia, para o meu pai, aquele pequeno grupo, e ele, meneando a cabeça em sinal de reconhecimento e com aquele meio sorriso que era tão típico dele, disse em voz baixa: "Olha, Ettore: você poderá, um dia, se gabar de ter pelo menos cruzado com essa família de bem". De fato, aquilo que me resta, neste presente acanalhado e exibicionista, é, machadianamente, "o resto dos restos": é esse patrimônio de histórias familiares em frangalhos, é esse mundo de palavras simples e de mitos sem alarde que só alguns continuam habitando com teimosia e pudor.

1ª EDIÇÃO [2018] 7 reimpressões

ESTA OBRA FOI COMPOSTA PELO GRUPO DE CRIAÇÃO EM ELECTRA E
IMPRESSA EM OFSETE PELA LIS GRÁFICA SOBRE PAPEL PÓLEN DA
SUZANO S.A. PARA A EDITORA SCHWARCZ EM JUNHO DE 2024

A marca FSC® é a garantia de que a madeira utilizada na fabricação do papel deste livro provém de florestas que foram gerenciadas de maneira ambientalmente correta, socialmente justa e economicamente viável, além de outras fontes de origem controlada.